中小學生必備！

問題解決力的思辨工具書 下

丁士珍、蘇子媖/著　顏寧儀/繪

看到有人**被霸凌**怎麼辦？
運用魚骨圖、AEIOU等工具學習尊重他人

作者的話 你問我答認識本書		5
思考方法小辭典		14

CHAPTER 1　尊重他人

第1單元　這真的是喜歡嗎？ … 20
　少女的煩惱 … 20
　在戀愛中保持自己的獨立和個性 … 30
　喜歡跟討好的區別 … 35
　想一想你會怎麼做？ … 38

第2單元　為什麼要打掃？ … 40
　打掃也是我的責任 … 40
　理解自己的責任 … 44
　想一想你會怎麼做？ … 54

〔哲學檔案〕**什麼是萬物一體？** … 56

CHAPTER 2　認識自己

第1單元　我也想受歡迎 … 60
　委屈的美華 … 60
　找出自己的風格 … 64
　發現自己優點的練習 … 68
　想一想你會怎麼做？ … 71

CONTENTS 目次

第 2 單元	玩遊戲輸了，好生氣	73
	混亂的晨間閱讀	73
	尊重與自己不同觀點的人	82
	疼惜自己的努力	85
	想一想你會怎麼做？	89
哲學檔案	認識自己	92

CHAPTER 3　同理他人

第 1 單元	看到有人被霸凌怎麼辦？	96
	同學被霸凌了	96
	不想成為霸凌幫凶	102
	制止霸凌的方法	105
	想一想你會怎麼做？	108
第 2 單元	比拳頭更好的解決問題方式	110
	幫同學出氣的龍哥	110
	正義與義氣的差別	116
	用溝通、思考解決問題	120
	想一想你會怎麼做？	124
哲學檔案	真正的邪惡是放棄思考	126

> 作者的話

你問我答認識本書

　　生活中遇到各種大困擾與小煩惱該怎麼辦呢？《中小學生必備！問題解決力的思辨工具書》提供了完整的思維模式，以及實用的思考工具，內容包括人際互動、自我管理、情緒學習、自我探索等，培養孩子創新解決問題的能力。本書作者為兒童哲學教育專家蘇子媖，以及推廣創新教育的教育心理博士丁士珍，讓兩位作者帶大家認識這本書吧。

為什麼想寫這本書？

　　子媖　隨著孩子長大，我開始以自己的專業「哲學領域」，來處理孩子成長中遇到的問題，也以此陪伴著他們，一路解決了很多看似簡單卻極其重要的事。延續《建立孩子思辨能力的第一套橋梁書》，以臺灣為場域，欲提供在此的你和我，都能有共鳴的思考方法為初衷來書寫此書。本書將陪伴著你解鎖五至

八年級的孩子（國小高年級至國中二年級）。這時期的孩子，正處於身心自我形構的階段，習得一些知識，擁有一些能力後，對自己、對他人常常必須調節各種認知與認同的衝突，故本書以解決「衝突」為主軸，透過實用的思考方法，幫助大朋友和小朋友鍛鍊思辨能力。

土珍 在快速變遷的時代，現今孩子將來從事的工作現在可能還未發明，因此**學習如何解決問題的能力，遠比學習特定學科知識更為重要**。我們都希望孩子能成為具備解決問題能力，並對世界產生積極影響的人。

什麼樣的人才最適合創意解決問題呢？很多人可能首先會聯想到創造力，認為創造力就是產生出獨特想法的關鍵。然而，光有創造力並不夠。身邊不乏有高度創意卻無法成功解決問題的人，他們可能缺乏深入研究的能力，無法真正理解問題所在；或許也缺乏反覆修正的能力，無法藉由回饋改進原有的想法；也可能缺少堅持不懈的毅力，無法將想法付諸實現。

基於這樣的思考，我希望提供孩子訓練批判性

思考和創新解決問題的方法。透過真實的生活情境，引導孩子運用創意和思辨力去解決問題，讓他們從小便能在生活中培養解決問題的能力，為可能面對的未知挑戰打下基礎。

什麼是思考？思考怎麼解決問題？

子嫄 思考起源於「好奇」，然後產生於「意識運作」，所呈現的狀態是：面對某事、某物、某概念時，意識在此停留，並十分集中的運作。

士珍 本書講的思考是「設計思考」，**設計思考是一種解決問題的方法，強調站在別人的角度建立同理心，搞清楚真正的問題是什麼、構思創意、實踐想法，並進行檢視**。這種方法創造性的幫助個人深入理解他人的需求，從而識別或重新定義問題，並透過集思廣益產生新想法。最終，透過實踐想法、檢視和評估，學習並尋找最佳解決方案。其核心在於深入了解事件參與者，質疑現有的觀點或假設，並重新思考問題，從中發現那些不易察覺的替代策略和解決方案。

有哪些思考工具可以使用？

士珍 思考工具能有效幫助提升創意思考、批判性思考和團隊合作能力。**常見的工具包括同理心地圖、5W1H、KJ法、九宮格、AEIOU活動描述分析法和魚骨圖**，它們不僅能激發創意，讓團隊快速產生多樣化的想法，還能從不同角度協助解決問題。

同理心地圖有助於理解需求，5W1H和AEIOU可深入探討問題根源，KJ法和九宮格幫助歸類與分析信息，而魚骨圖則用於查找問題的多重原因。此外，透過實踐想法，可以進一步測試創意的可行性。

本書將介紹同理心地圖、5W1H、KJ法、九宮格、AEIOU和魚骨圖的應用，幫助讀者更有效的運用設計思考來解決問題。

為什麼要用這些工具幫助思考呢？思考工具可以幫我什麼？

士珍 思考工具幫助孩子發展系統化的解決方法，增進創意思考、批判性思考的能力。這些結構性

工具能更深入了解問題、探索各種解決方案，從不同角度重新檢視問題。例如同理心地圖能幫助孩子站在他人立場思考，提升同理心，而九宮格快速發想鼓勵他們提出創新想法。

設計思考能幫助孩子在真實情境中解決問題，提升學習動機。過程中的反覆測試與修正，培養適應力和接受回饋的能力，同時讓孩子具備創新、批判性思考及合作能力，讓他們面對困難時，能夠冷靜、有效的提出不一樣的解決方案。

什麼時候要用思考工具？怎麼開始比較好呢？

士珍 本書中的思考工具幾乎可以應用於任何挑戰，無論是改善日常的合作與決策，還是解決更複雜的問題。面對沒有現成解決方案的挑戰，設計思考能深入了解事件參與者的需求、行為和情感，並創造出符合這些需求的解決方案。

設計思考的第一步是從「為什麼」開始，即理解問題的核心和目的。這一階段強調同理心，讓我們能夠真正了解需求和目標。

要使用哪一種思考工具呢？

土珍 選擇使用哪一種思考工具，取決於問題所在的階段和想達成的目標。在**同理心階段**，像是同理心地圖和訪談這類工具，能幫助我們站在別人角度，深入了解他們的需求和感受。

試圖找出問題的根本原因時，魚骨圖、KJ法、AEIOU和5W1H工具能幫助識別真正的問題。在**想點子階段**，九宮格、KJ法和5W1H能激發創意，提出多樣的解決方案。而在**實現想法的階段**，則是快速將腦中的想法具體化，檢視目前的想法是否可行，才有機會進行下一步。

在**檢視階段**，根據實際結果，對原來的解決方法進行修正和調整，讓解決方法更符合需求。

同理心地圖也能在檢視階段發揮作用。雖然通常用在了解他人的需求，但也可以幫助重新檢視目標群體的需求和感受，確保解決方案是否仍然符合期望。

所以選擇工具的關鍵是根據當前的挑戰、需求和思考的階段，靈活調整，這樣才能有效解決問題並

推動創新。

幾年級可以讀呢？大人也可以讀嗎？大人怎麼和孩子一起使用這本書呢？

子嫄 本書的場景是以五至八年級為故事架構，但各個年齡都會遇到類似的議題，書中所使用的方法更是適合於每個人，學起來後轉換成自己所遇到的場景來使用。

如果是五至八年級，這本書剛好適合；如果是高中生、大學生、成人，轉換場景後，活用設計思考方法，獲得能從不同角度探討問題，找出更多可能性的思考方式。最後如果想要引導孩子，可以與孩子一同完成每單元的「想一想你會怎麼做？」，以及閱讀「哲學檔案」，在因為年紀不同，而價值觀不一樣的碰撞下，讓學習是一加一大於二。

士珍 本書最適合小學高年級到國中，尤其是有興趣提升批判性思考、創造力和解決問題能力的孩子。對於父母和教育工作者來說，同樣是很好的參考資源，幫助他們了解如何引導孩子發展思考技能。

大人可以透過幾種方式幫助孩子使用這本書。首先，與孩子一起閱讀並討論書中內容，鼓勵他們分享自己的想法。其次，將書中的方法應用到日常生活或學校作業中，幫助孩子理解在現實情境應用這些思考方法。最後，根據書中的技巧和案例，激發孩子進行創意練習和問題解決，並提供適當的支持與回饋。這樣，大人不僅能幫助孩子掌握有效的思考方法，還能增進親子間的互動與學習，提升那些永遠不可能被科技取代的素養。

小專欄「哲學檔案」與思考的關係？

子媁 「哲學」一詞起源於西方，定義是「愛智」，但對東方來說，哲學是「德慧」的表現，兩者的交集是「智慧」，「智慧」和「聰明」不一樣，「智慧」是面對問題、衝突，在思考時多了份層次。層次的思考很難學，但不是不能學，若你能尊重且把握事件中「每個都是人」，很自然的就會擁有掌握層次思考的鑰匙。而設計思考之所以能有效的協助哲學式靈活變通的思考方式，就是因為它所關注且在意的

對象也是「人」，這也是本書以哲學為議題，設計思考為思辨方式的設計。

士珍 哲學與設計思考都強調理解和應用知識來解決現實問題。在數位時代，教育逐漸從單純的資訊傳遞，轉向培養更深入且靈活的學習方式，這反映了批判性思考與創新思考的需求提升。在這一過程中，哲學幫助我們探索真理並利用這些知識來解決問題。我們或許無法達成「完美」的知識或解決方案，但透過不斷檢視和修正，我們能持續改進，最終找到更好的解決方案。設計思考正是將這一原則具體化，它透過同理心、想法付諸實踐、檢視並不斷調整，來應對複雜的問題。因此，結合哲學與設計思考，不僅能幫助孩子進行深思熟慮的分析，還能讓他們將這些分析能力應用於現實挑戰中，成為面對未來問題的解決者。

思考方法小辭典

◆ 5W1H
幫助理解事件背後的因素

5W1H透過提問五個問題分析事件，包括情境（Where、When），參與者（Who），以及事件進行的方式和感受（How、What、Why）。可以幫助理解事件背後的因素。

提問過程：

1. 有誰（Who）

活動的參與者有誰？誰會受到影響？

2. 有哪些行為（What）

參與者做了什麼？

3. 掌握時間及地點（When、Where）

參與者什麼時間點有這些行為？在什麼地方、什麼情況下產生？

4. 描述經驗過程（How）

參與者如何完成？經驗如何？感受為何？

5. 了解原因（Why）

參與者背後原因或目的是什麼？

範例 分析「什麼是戀愛？」

什麼人（Who？）
戀愛中有誰？

- 我，一人。
- 我和他，兩人。

什麼事（What？）
談戀愛時會做什麼事？

- 為了考上同校很認真的讀書。
- 天冷時跟喜歡的男生借外套，他願意借，整個就心花朵朵開。
- 一年十二個月，再加認識紀念日，總共要送十三個禮物。
- 抱對方外套聞味道睡覺。
- 偷偷跟著對方，讓他以為不管在哪裡都可以遇到。
- 不管何時都想要黏在一起。
- 不午休，拚命傳紙條，或用外套蓋住聊天。
- 早上四點起來做早餐，再騎腳踏車到捷運站，一起坐車上學。

什麼時候（When？）
什麼時候發生的？

上課、下課、午休、放學。

什麼地點（Where？）
校園、圖書館、上下學的路途。

如何（How？）
戀愛時做這些事情，你的真實感覺如何？

- 跟他在一起，其餘聲音都消失，非常甜蜜。
- 擔心一不小心讓對方生氣，現在回想起來，配合對方到懷疑人生。
- 花很多時間黏在一起，久了就有點煩，聊到沒話題仍需照樣通話。
- 很怕讓他沒有新鮮感。
- 努力很有動力，不孤單。
- 優越感大爆發。

為什麼（Why？）
為什麼你認為這些活動對談戀愛是加分的？

- 對方的一舉一動都會影響到我的情緒，所以對方開心，我就開心，他不開心，自己就感到被傷害。
- 沒有爭執和衝突就是為戀愛加分。

思考方法小辭典

15

◆ AEIOU
幫助識別真正的問題

分別以活動（A）、環境（E）、互動（I）、物品（O）、使用者（U）五個面向，深入了解事件中的細節，理解人們在特定情境中的行為和互動。也可以透過比較，找出兩種探討事物的不同。

- **活動**（Activity）：當下進行的活動、遵循的流程等。
- **環境**（Environment）：所處的環境。
- **互動**（Interaction）：人與人、與物品還有與空間的互動。
- **物品**（Object）：環境中有哪些物品？這些物品與人們的活動有什麼關聯？
- **使用者**（User）：有哪些人？扮演什麼角色？彼此的關聯是什麼？他們的需求和期望是什麼？

範例　比較喜歡和討好的不同。

U（使用者）	**喜歡** 尊重雙方的真實和自由，保持獨立和個性，接受對方的不完美和差異。 **討好** 隱藏或改變雙方的真實和自尊，失去獨立和個性，試圖改變或控制對方。
A（活動）	**喜歡** 選擇增進彼此了解和親密的活動，例如聊天，並且考慮對方的興趣和喜好。 **討好** 選擇取悅對方的活動，例如送禮物、請客吃飯、陪伴對方做事等，忽視自己的意願和感受。
E（環境）	**喜歡** 選擇雙方都感到舒適和開心的環境，例如公園。 **討好** 選擇讓對方感到滿意和驚喜的環境，例如很貴的餐廳，並且不顧自己的負擔和困難。
I（互動）	**喜歡** 與對方進行有效的溝通和傾聽，用自然和真誠的方式表達愛和關懷。 **討好** 與對方進行過度或虛假的溝通和傾聽，用過分或奉承的方式表達愛和關懷。
O（物品）	**喜歡** 選擇代表雙方的特徵和記憶的物品，例如照片，並且珍惜和保留這些物品。 **討好** 選擇讓對方感到高興和滿足的物品，例如名牌精品，且不斷的贈送這些物品。

◆魚骨圖
查找問題的多重原因

　　魚骨圖探討因果關係,可在完成5W1H後,繼續歸納出問題產生的原因,並找出影響事件最關鍵的因素。發想的順序為:

1. **擬定問題**:說明要分析的問題內容。
2. **找到主因**:歸納出問題產生的主要原因,將原因一一列出。
3. **分析主因**:透過不斷分析主因,衍生出多種次因。
4. **發現關鍵因素**:找出議題之間的因果關係與關鍵因素。

範例　找出去海邊撿垃圾的關鍵原因。

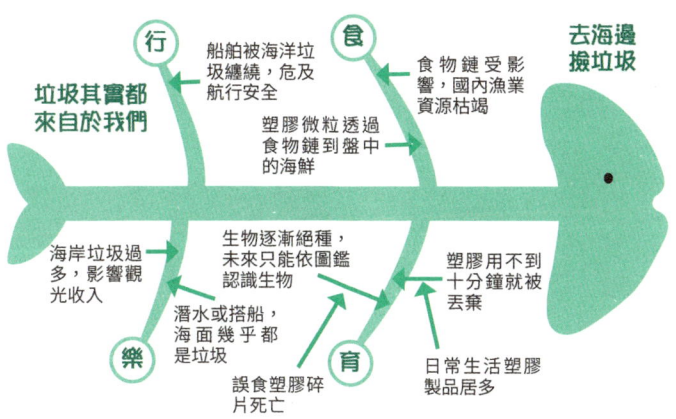

思考方法小辭典

CHAPTER 1
尊重他人

第 1 單元
這真的是喜歡嗎？

🟢 少女的煩惱

「小薇，我說妳也太誇張了吧，居然還幫他寫英文單字卡。」小涵不可置信的看著隔壁桌正低頭專心抄單字的小薇。

「會很誇張嗎？我覺得還好啊！」小薇抬頭露出一個「全糖」的微笑。

「妳別用那甜死人的笑容對我。雖然是我幫妳策劃告白，但他那半天不吭聲的態度……妳要不要先讓他主動啊。我覺得妳有點太積極了。」小涵很含蓄的分析。

「他的個性就這樣啊，我就喜歡他那帥帥冷冷

的模樣。」小薇興致高昂的回答。

「但……妳每天送小餅乾，又送巧克力，現在居然還幫他抄英文小卡，妳付出太多了。」小涵清醒的繼續跟小薇分析著。

「可是我就是想對他好啊，這樣不行嗎？」小薇疑惑的抬頭問。

「嗯……妳想對他好，好像也沒什麼不對……」這次反倒換小涵感到困惑。

小涵端正坐回座位，心裡想：「對啊，不能只是想對對方好嗎？」

「所以喜歡一個人，就是要對對方好嗎？但小薇怎麼有種『卑微』的感覺？

「但她好開心喔，即便對方只是一直接收好意，都沒進一步，她依然開心。這是戀愛嗎？

「告白完，然後呢？就是男女朋友嗎？如果對方直接拒絕，可以肯定不是，但如果什麼都沒說，那到底算什麼？

「什麼是不卑微的喜歡一個人？」

這些問題交叉著在小涵的腦中撞來撞去。

「啊！煩死了，我也不知道啦！小薇，放學陪我去圖書館。」小涵下決心的轉過來拉著小薇的手臂。

「哎喲，別拉我，我字都寫醜了。」小薇埋怨的瞪了一下小涵，問：「去圖書館幹嘛？」

「我們去請教白老師什麼是談戀愛！」小涵激動的說。

「妳也有喜歡的男生啊？」這次換小薇開心且真誠的問著小涵。

「才不是我，我是要去問妳喜歡到為別人奉獻，這是談戀愛嗎？」小涵翻了個白眼。

「我才沒有問題呢，我就是在談戀愛啊！」小薇又露出那「全糖」的微笑。

小涵把手壓在小薇桌上。「我不管，反正妳放學跟我一起去圖書館。」

「好啊，跟妳去，誰叫妳是我最好的朋友。」小薇笑了笑。

放學時，小薇和小涵要去圖書館前，小薇還要小涵等一下，趁著整路隊的時間，把今天抄了一天的英文單字卡，遞給隔壁班喜歡的男生。

小涵看到那男生什麼都沒說，收下單字卡，轉身隨路隊走下樓時，她忽然覺得小薇的「喜歡」怎麼看都有種「討好」的意味，而那男生讓她非常礙眼。

這狀況更堅定了小涵想請白老師拯救「戀愛腦少女」的決心。

圖書館放學後特別安靜，檔案室因為位在西邊，沐浴在溫暖的夕陽下，小涵覺得這氣氛，怎麼看都特別有戀愛偶像劇的味道。

「放學不回家，想跟我聊什麼啊？」沐浴在夕陽下，白髮浸染出金光的白老師溫柔的說。

小涵拉著小薇往沙發坐，說：「老師，我想請教，什麼是喜歡？」

白老師笑了笑。「這問題太廣了，妳再想一下妳到底想要問什麼。」

「老師，妳與師丈交往時，是妳先告白還是他先告白？」小薇笑咪咪八卦的問。

白老師彎著頭稍微想了一下。「那是好久以前的事了，我們是大學同系的學長跟學妹，問我誰先主動……我想一下，實在不記得了。那時助教工作需要確認很多事情，一來一往就慢慢熟悉，覺得感覺不錯就漸漸變成一對。」

「老師，那妳怎麼知道妳喜歡他？」小涵順著問。

白老師心裡大概知道今天這兩個小女生是來請教戀愛問題的。「就是覺得跟他一起相處很舒服，我喜歡吃路邊攤，他也會陪我。他想帶我融入登山社山友的活動也會詢問我的意願，拒絕他時，他也不會讓我覺得有負擔。」

「喜歡是慢慢累積的，就是和這個人舒適的相處感一點又多一點，讓我知道我應該滿喜歡他的。」白老師繼續說。

「老師，所以沒有互動的單方面喜歡，是喜歡嗎？」小涵繼續追問。

「這個也是喜歡，但比較像追星，當粉絲的感覺。談戀愛是不一樣的。」白老師說。

「到底什麼是談戀愛？」小涵問，又馬上修正：「我要問的是『什麼是舒適的談戀愛方式？』」

白老師讚許的說：「妳回想一下，現在的提問比剛進門的提問好太多了。」

白老師拉開抽屜拿出白紙跟筆。

「回答『什麼是舒適的談戀愛方式』前，妳們覺得談戀愛時會做些什麼事？」

「互相玩對方的頭髮。」小涵歪著頭說。

「換教室的時候故意走很慢，最後跟喜歡的男生一起走。」小薇甜甜的說。

「早上一起上學，放學一起走回家，邊走邊分享今天遇到的趣事。」小涵接著說。

「特意做上課筆記給對方。」小薇眼中滿是粉紅泡泡。

「還有還有，小力的教室明明在七樓，每節下課都衝到一樓，只為了跟佳佳在走廊聊天，或陪她去合作社買東西。」小涵想到身邊的案例拍手說。

「還有那個痴情學姊，男朋友籃球比賽，她永遠在球場旁邊當迷妹，進球還很驕傲的歡呼，比賽結束我也沒看過學長去找她。」

「聽說她還幫他盛難吃的統餐，吃完幫他洗碗，午睡起來準備水果給他吃。」

兩個小女生嘰嘰喳喳、七嘴八舌的討論著。

白老師順勢在紙上畫了幾個框框，寫上「**什麼人（Who？）、什麼事（What？）、什麼時候（When？）、什麼地點（Where？）、如何（How？）、為什麼（Why？）**」（**5W1H法**，幫忙找出問題根本原因。）

「我們按照這些提示，盡量想想**談戀愛時到底會做哪些事**。」

什麼人（Who？）
戀愛中有誰？

- 我，一人。
- 我和他，兩人。

什麼事（What？）
談戀愛時會做什麼事？

- 為了考上同校很認真的讀書。
- 天冷時跟喜歡的男生借外套，他願意借，整個就心花朵朵開。
- 一年十二個月，再加認識紀念日，總共要送十三個禮物。
- 抱對方外套聞味道睡覺。
- 偷偷跟著對方，讓他以為不管在哪裡都可以遇到。
- 不管何時都想要黏在一起。
- 不午休，拚命傳紙條，或用外套蓋住聊天。
- 早上四點起來做早餐，再騎腳踏車到捷運站，一起坐車上學。
- 假日一起讀書，增加相處的時間。
- 互相抄功課。
- 體育課幫忙帶水，打完球馬上遞給他喝。
- 在女生的抽屜放小禮物，運動會當著同學面前轉送金牌給女生。

什麼時候（When？）
什麼時候發生的？

上課、下課、午休、放學。

什麼地點（Where？）

校園、圖書館、上下學的路途。

尊重他人

27

白老師瞇著眼說：「戀愛中會做的事情似乎都有一些瘋狂。」

「永遠覺得自己不夠好、做的不夠，擔心對方嫌棄自己長痘痘、變胖，所以不管如何，我都一定要維持漂亮，做吸引他注意的事。」小薇鼻子酸酸、眼睛紅紅的。

兩個小女孩低著頭看著提示問題，繼續討論著。

如何（How？）
戀愛時做這些事情，你的真實感覺如何？

- 跟他在一起，其餘聲音都消失，非常甜蜜。
- 擔心一不小心讓對方生氣，現在回想起來，配合對方到懷疑人生。
- 花很多時間黏在一起，久了就有點煩，聊到沒話題仍需照樣通話。
- 很怕讓他沒有新鮮感。
- 努力很有動力，不孤單。
- 優越感大爆發。

為什麼（Why？）
為什麼你認為這些活動對談戀愛是加分的？

- 對方的一舉一動都會影響到我的情緒，所以對方開心，我就開心，他不開心，自己就感到被傷害。
- 沒有爭執和衝突就是為戀愛加分。

在戀愛中保持自己的獨立和個性

白老師聽著她們的討論，皺皺眉頭問：「妳們在戀愛中似乎都是為了對方而過日子，看不太到『我』這個角色。」

白老師另外抽出一張紙，說：「我們現在來談談戀愛時『你』的狀態。」

「這是一種比朋友更深的關係。兩人興趣相同，有共同話題，且彼此都喜歡對方。」小涵說。

「生活、上課時，對方的身影都在我腦中，占滿所有腦容量，這就是談戀愛。還有還有，費盡心力付出，事事把對方擺第一。」小薇甜甜的說。

「嗯，我覺得談戀愛是很用心的去感覺一個人，是更深的相親相愛。」小涵說。

白老師一面聽一面記錄在白紙上。

「對方欣賞我，覺得我很棒，而且相處起來不累。」小涵說。

「我覺得要像偶像劇、情歌一樣的浪漫。」小

薇接著說。

「不用把我擺在最重要的位置,只要擺在第二,我就很開心了。只要看到他,我就好高興。」小薇整個臉上似乎都圍繞著粉紅泡泡。

「那妳快樂嗎?」小涵反問小薇。

「我也不確定自己是不是快樂,只覺得最後好像生活都繞著對方轉,得失心超重,只想把自己鎖在他身邊。」

白老師瞇著眼看著一臉燦笑的小薇說:「我們用剛剛的 **5W1H法** 來釐清一下。」

> ### 什麼人（Who？）
> 戀愛中的參與者是誰？
>
> - 沒有互動的單方。
> - 有互動的雙方。

> ### 什麼事（What？）
> 什麼是談戀愛？
> 戀愛中什麼行為讓你感到愉快且舒適？
> 戀愛中什麼事情是你的重要考慮？
>
> - 興趣相同,有共同話題,且都覺得對方很棒。
> - 對方的身影占滿所有腦容量,全心付出,事事把對方擺第一。

尊重他人

- 相親相愛，相處起來不累，都很用心的去感覺對方。
- 像偶像劇、情歌一樣的浪漫。
- 只要看到他就好開心。
- 拒絕對方的要求時，不會有任何壓力。
- 不用把全部的生活都給對方，能有時間花在自己身上。
- 有各自的空間，並尊重對方的生活安排。
- 信任和坦誠的溝通，接受對方不同的想法。
- 不情感勒索，依賴感不過重。

什麼時候（When？）
戀愛是什麼時候發生的？

- 慢慢累積，彼此都很習慣在一起。
- 命中注定，第一眼看到時。

什麼地點（Where？）
什麼樣的戀愛環境讓你感到最輕鬆和開心？

- 能夠真實表達自己的環境，感覺最輕鬆和開心，對方能夠理解尊重我的想法和感受。
- 與彼此信任、支持的人在一起，放心的感覺讓我在戀愛中感到最輕鬆又開心。

如何（How？）
如何在戀愛中表達自己的需求和期望，同時考慮對方的感受？
如何在戀愛關係中展現真實的自己，不擔心不被喜歡？

- 勇敢面對自己在戀愛中的不舒服和需求，避免用責怪的語氣「你都……」，而是用「我覺得」的方式說出，保持冷靜傾聽對方的想法。
- 想表達時不需要擔心會不會被拒絕，誠實表達自己的想法和感受。
- 戀愛中仍不斷充實，增加自我價值，因為自信提升，就有勇氣做自己，不會害怕真實的自己不被喜歡。

為什麼（Why？）
為什麼你認為這些因素對於戀愛關係是重要的？

- 當我不喜歡要拒絕的時候，不用擔心對方因此生氣。
- 能讓我感到被重視和尊重。

白老師邊說邊把紙上的紀錄，推到兩個小女生的面前。

「喜歡跟愛一樣嗎？」白老師繼續說下去。

「好像不太一樣，我覺得喜歡是打從心底對你好，愛則是……？」小涵一臉問號。

「的確，這兩者不太相同！喜歡就是我很欣賞你，欣賞你長得很帥、功課很好、很有才華、球打得很好。

「但是愛就不一樣囉，愛除了喜歡之外，多了**責任**和**犧牲**。」白老師說。

「像在生活中遇到挫折、心情低落時，向對方傾訴，對方能夠傾聽、陪伴，還可以一同找尋挫折的原因和解決的方法。

「所以戀愛是**雙方都很欣賞彼此**，而且擁有願

尊重他人

意為對方犧牲和負責的能力。」白老師說。

「至於什麼是舒適的談戀愛方式，我認為應該是，在雙方都很欣賞對方的前提下，用彼此都感到放鬆和開心，而不是緊張和壓力的方式相處，並具有能為對方犧牲和負責任的能力。」白老師微笑的看著小涵跟小薇。

白老師接著說：「我們一起重新檢查一次，整理出什麼是舒適的談戀愛方式。」

小涵和小薇低著頭很認真的再看一次。

舒適的談戀愛方式：
- **能夠與對方分享自己的想法和感受，並且聽取對方的回應和建議。**
- **互相信任尊重對方的意見和決定，而不是懷疑。**
- **表達自己的愛和關懷。**
- **給予一定的時間和空間，讓對方能夠保持自己的興趣和社交，在戀愛中保持自己的獨立和個性，而不是依賴和失去。**

「這是一種**雙向的互動**。」白老師說。

「然而有一些談戀愛的方式，為了獲得對方的認可和喜愛，遷就或犧牲自己，會越談越累，感到疲憊和不安。」

「這是**單向的付出**。」白老師接著說：「只會考慮對方的需求和期望，並且為了滿足對方而放棄自己的意見和決定，形成不平衡、單方面的關係。

「刻意讓對方看到自己，隱藏或改變自己的真實和自尊，用過度或虛假的方式表達愛和關懷，這些都不是雙向真誠的關愛。」

 喜歡跟討好的區別

白老師順勢又抽出一張白紙說：「我們用AEIOU法一起來完成『**戀愛關係中的討好與喜歡**』。」（**AEIOU法**，可以找出兩者差異。）

看著整理好的表格，小薇沉默了。

小涵疼惜的拍拍小薇的肩後，向白老師說：「謝謝老師，我覺得我能理解喜歡跟討好的區別了。」

白老師說：「戀愛中，自己也很重要，請別忽

U （使用者）	喜歡 尊重雙方的真實和自由，保持獨立和個性，接受對方的不完美和差異。 討好 隱藏或改變雙方的真實和自尊，失去獨立和個性，試圖改變或控制對方。
A （活動）	喜歡 選擇增進彼此了解和親密的活動，例如聊天，並且考慮對方的興趣和喜好。 討好 選擇取悅對方的活動，例如送禮物、請客吃飯、陪伴對方做事等，忽視自己的意願和感受。
E （環境）	喜歡 選擇雙方都感到舒適和開心的環境，例如公園。 討好 選擇讓對方感到滿意和驚喜的環境，例如很貴的餐廳，並且不顧自己的負擔和困難。
I （互動）	喜歡 與對方進行有效的溝通和傾聽，用自然和真誠的方式表達愛和關懷。 討好 與對方進行過度或虛假的溝通和傾聽，用過分或奉承的方式表達愛和關懷。
O （物品）	喜歡 選擇代表雙方的特徵和記憶的物品，例如照片，並且珍惜和保留這些物品。 討好 選擇讓對方感到高興和滿足的物品，例如名牌精品，且不斷的贈送這些物品。

視自己的意願和感受。**健康的戀愛是雙向真誠的關愛。**」

小薇點了點頭說：「謝謝老師。」

白老師抬頭看沐浴在夕陽中的檔案室，覺得今天的對談非常美好。

想一想你會怎麼做？

❶ 請延續第二十七、二十八頁，用5W1H法分析什麼是舒適的談戀愛方式。（可參考下表中的提示發想。）

什麼人（Who？）
戀愛中的參與者有誰？
- 有互動的雙方。

什麼事（What？）
什麼是談戀愛？戀愛中什麼行為讓你感到愉快且舒適？戀愛中什麼事情是你的重要考慮？
- 不准跟其他異性講話。

什麼時候（When？）
戀愛是什麼時候發生的？
- 科展討論、分組報告。

什麼地點（Where？）
什麼樣的戀愛環境讓你感到最輕鬆和開心？
- 學校。

如何（How？）
如何思考不讓自己跟對方受傷，但清楚表達出自己感受？
- 傳LINE說明自己不喜歡被限制，無法只能和特定的人說話。

為什麼（Why？）
為什麼認為這個因素對戀愛關係是重要的？
- 當我感受到被信任時，在戀愛關係中就不會覺得委屈。

❷ 請延續第三十一頁「有互動的戀愛」，以「我」為使用者，運用AEIOU法分析喜歡和討好的不同。

U （使用者）	喜歡 我不會限制對方，也不希望對方限制我只能和特定的人說話。 討好 我怕對方生氣，所以只跟特定的人說話。
A （活動）	喜歡 討好
E （環境）	喜歡 討好
I （互動）	喜歡 討好
O （物品）	喜歡 討好

尊重他人

第2單元
為什麼要打掃？

🟢 打掃也是我的責任

　　今天安親班老師告訴小艾的媽媽，小艾被老師罰放學掃地，所以安親班接送車全車人都在等她，小艾的媽媽覺得很訝異。

　　平常乖巧的小艾，為何會被罰放學掃地？

　　「為什麼今天被罰放學掃地？」媽媽接小艾離開安親班時，邊開車邊問。

　　「就……我不想打掃。」小艾看向車窗外車潮。

　　「什麼意思？」媽媽聽不太懂。

　　「我這學期被分配到花圃撿樹葉，不想去。」小艾一臉無所謂。

「然後呢?」媽媽一時間無法回答這行為。

「然後衛生股長告訴老師,我就被罰了。」小艾依然無所謂的回答。

「妳明天一樣不去打掃嗎?」

「是啊,花圃那邊好熱,而且靠近水溝,我覺得很噁心。」

「所以全車的人明天也會等妳!」媽媽的聲音高了幾度。

「那也沒辦法了喔。」

「陳小艾！妳給我有點羞恥心，全車人都在等妳耶！我不管，妳明天去打掃該掃的地方。」媽媽有點生氣。

「我不要！反正我不想打掃。」小艾也有點生氣了。

「那妳跟老師說要換打掃區域。」媽媽說。

「我哪都不想掃，到底打掃有什麼意義啊？我看男生們都隨便揮揮。」小艾再度看向車潮。

「那是責任感，共同為學校好，妳懂不懂！」

「我不懂，我覺得我到學校的責任就是讀書，打掃應該不是我的事。」小艾說。

媽媽覺得頭超痛的，根本不知道該怎麼解釋。

回到家打了個電話給班導，告訴老師小艾的回應。

老師隔天帶著小艾到白老師的檔案室。白老師遞給小艾一本綠色檔案夾。

975號檔案

人物基本資料

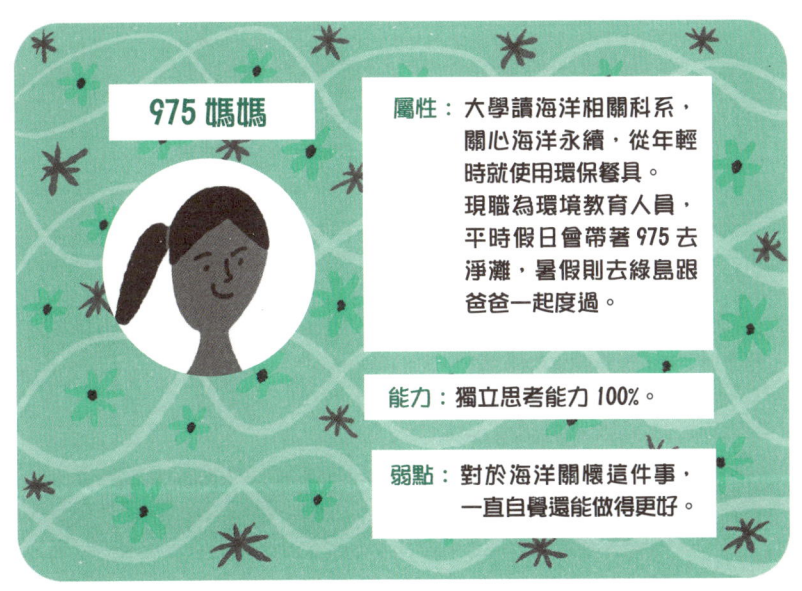

975 爸爸

屬性：潛水教練，每年四到十月待在綠島當潛水教練，也推廣海洋保育。潛水淡季時，會在本島帶家人參與淨灘活動。

能力：獨立思考能力 80%。

弱點：因為太太而開始關注環保，在商業與環境維護上，偶爾也會迷茫。一年有七個月與太太、小孩分開，所以孩子狀況通常由太太照顧。

975 媽媽

屬性：大學讀海洋相關科系，關心海洋永續，從年輕時就使用環保餐具。現職為環境教育人員，平時假日會帶著 975 去淨灘，暑假則去綠島跟爸爸一起度過。

能力：獨立思考能力 100%。

弱點：對於海洋關懷這件事，一直自覺還能做得更好。

尊重他人

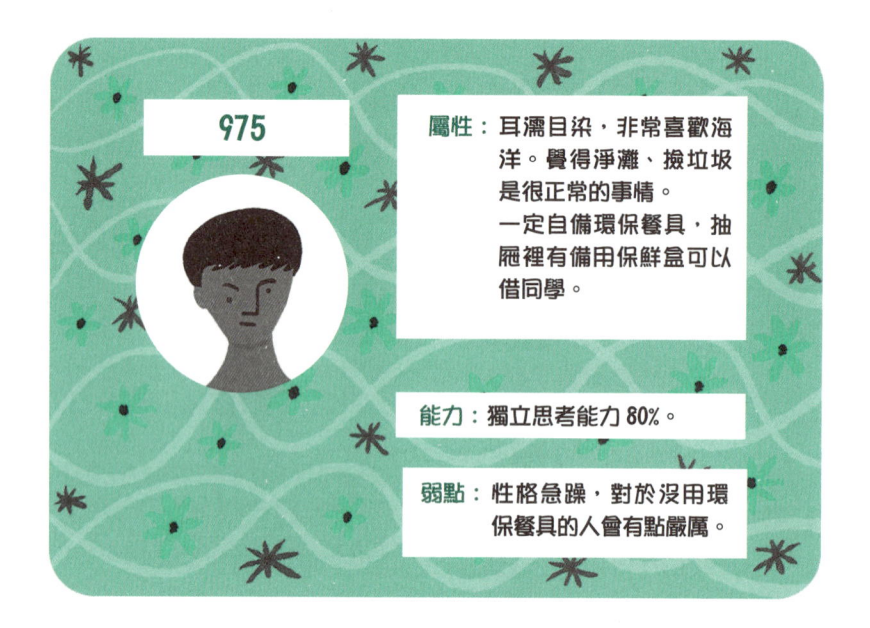

> **975**
>
> 屬性：耳濡目染，非常喜歡海洋。覺得淨灘、撿垃圾是很正常的事情。一定自備環保餐具，抽屜裡有備用保鮮盒可以借同學。
>
> 能力：獨立思考能力 80%。
>
> 弱點：性格急躁，對於沒用環保餐具的人會有點嚴厲。

翻開檔案的第一頁，白老師當時為 975 檔案的總結分析是：

「以萬物一體的高度來理解自己存在的責任。」

理解自己的責任

975 檔案內容

975 就讀的國小最近要選學生會長。走廊上貼著

候選人自製的競選海報，候選人會利用下課時間去各班宣傳政見。

其中最引人注目的就是975的政見。

他的政見只有一條。藍色壁報紙貼著海龜、貝殼、沙灘的美麗圖片，寫上大大的「畢業旅行到綠島環島撿垃圾。」

相較於其他候選人的政見：延長下課時間、夜間電影院、兒童節水球仗……等，這個政見實在是太清新了。

連老師、校長都注意到今年這項特別的政見，因此教務主任與各班導師商量，用大週會的時間辦理「政見說明會」，不只有候選人說，重點是開放全校同學提問。

各班老師都覺得挺好的，是一場公民教育的實際練習。

於是各班老師把這訊息帶回班上，要同學們用一個禮拜的時間認真看海報，到時提出疑問。

一個禮拜後的大週會時間，校長很開心的親自介紹六位學生會長候選人後，揭開「政見說明會——

我們想要的校園」特別週會。

975排序二號，他一點都不緊張，覺得這些都只是他每天做的事情而已，沒有問題能難倒他。

「感謝一號候選人的回答，看來大家挺喜歡夜間電影院的。接下來，我們歡迎二號候選人。」擔任司儀的教務主任主持著。

975上臺先跟老師、同學鞠個躬，炯炯有神的看著臺下說：「校長、各位老師、各位同學，大家好，我是975，我的政見非常簡單，由於我即將升上六年級，若當選學生會長，將把今年的畢業旅行地點拉到綠島，執行為期五天四夜的環島撿垃圾。

「我的爸爸是綠島潛水教練，每年暑假我也會去綠島，很熟悉綠島，老師同學們大可放心。」

這時臺下有人舉手，教務主任請他起立發言。

「請問為什麼要到這麼遠的地方撿垃圾，我在家都不倒垃圾了，我媽一定會笑我跑那麼遠，還不如先把自己房間的垃圾撿一撿。」臺下大家笑成一堆。

「感謝你的發言，你的問題真好，為什麼撿垃圾要捨近求遠呢？」975徐徐回答。

「夏天綠島是玩水、浮潛的好地方，很多遊客因為觀光，認為方便就好而製造了大量垃圾。因此『環綠島撿垃圾』的活動有兩個用意：

一、喚起個人對破壞環境的警覺。

二、透過活動，遊客將理解愛惜綠島海洋資源的重要性。

「我想你可能平常在家真的不倒垃圾，或許會因為出去這一趟，在旅途結束後開始關心家中的環境。」

此時又有人舉手，因為離講臺近，直接就講了：「請問撿垃圾與環保有什麼關係，我覺得有點亡羊補牢。」

「的確，撿垃圾看起來就是別人丟，你撿。如果一直丟，我要一直撿嗎？」975很喜歡這問題，因為媽媽第一次帶他去淨灘時，他也問過這個問題。

他回想起媽媽那時告訴他：

因果關聯的相互影響→

可以運用5W1H方法和魚骨圖分析法，幫助以萬物一體（人也是大自然的一部分）**來思考。**

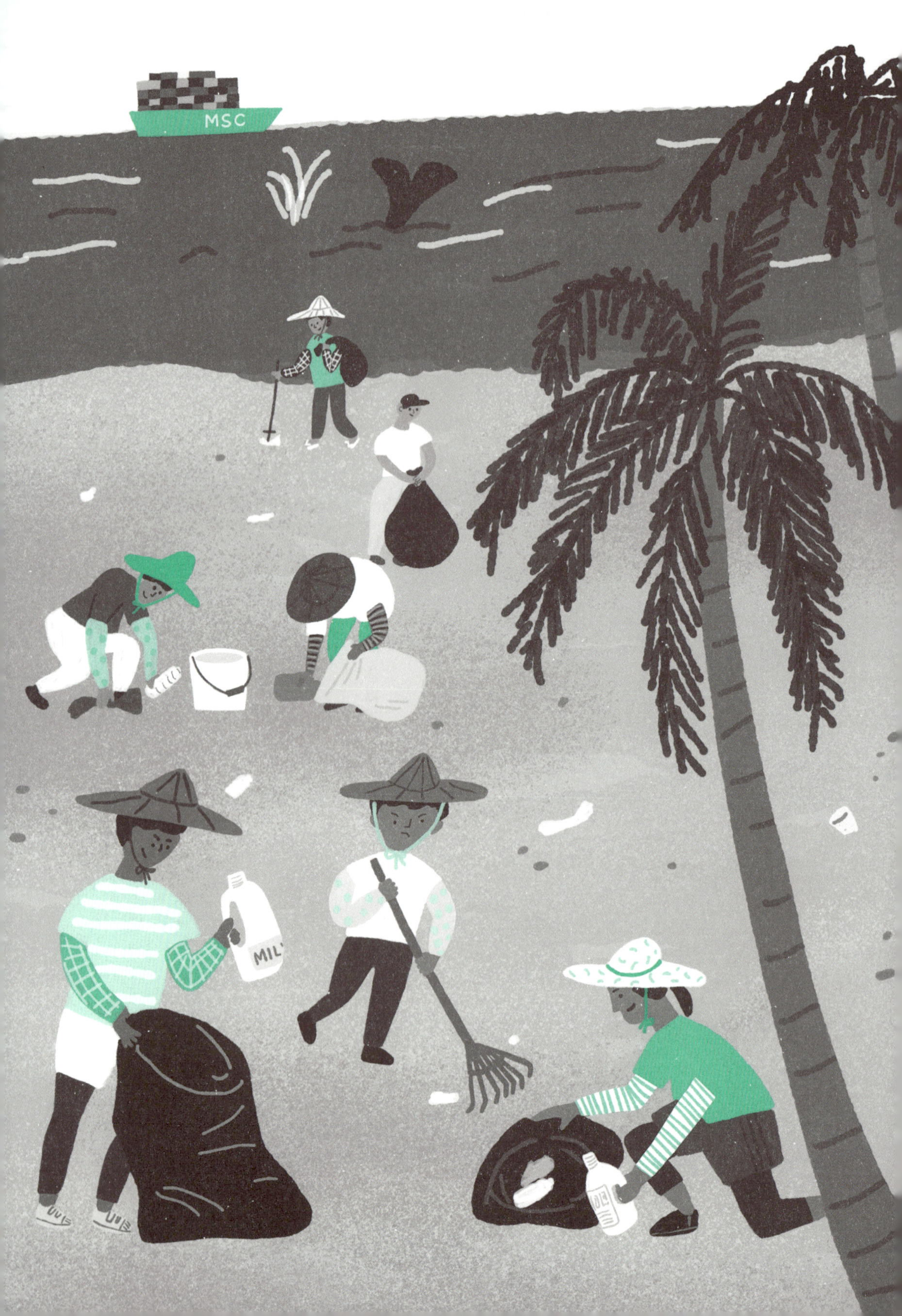
MSC
MIL

為了讓大家知道人類活動的汙染嚴重影響海洋環境。透過淨灘，可以減少海洋汙染物的排放，海洋生物棲息地得以維持清潔，975請教務主任協助把放在後面的移動白板往前推至舞臺前方。

　　他將白板分為Who、What、When、Where、How和Why五大區塊。然後接過教務主任遞過來的超大張黃色便利貼。

　　975說：「我們一起來回答這問題。首先你們覺得誰是這個淨灘活動的參與者？活動會影響到哪些人？」

　　校長首先發言：「會影響到地球上的任何人和生物。」

　　975用粗粗的麥克筆寫在便利貼上，貼在Who的區塊中。然後依序往下問。

　　在貼著滿滿黃色便利貼的白板前，原本提問的

什麼人（Who？）
誰是這個淨灘活動的參與者？活動會影響到哪些人？

參與者：愛地球的我、老師、同學、家長、環保推動人士。
影響到的人：地球上任何人和生物。

什麼事（What？）
參與者做什麼？

海邊撿垃圾。

什麼時候、什麼地點（When？Where？）
參與者什麼時候有這些行為？在什麼地方、什麼情況下產生？

- 老師或家長帶領去淨灘。
- 有時間就能出發。
- 任何安全的海岸。

如何（How？）
描述參與者如何完成？經驗是什麼？感受為何？體驗過程是什麼？

- 垃圾是撿不完的，海風一來、天氣不好，垃圾又漂回來。
- 沿著海岸線，先聞到臭水溝味，撿最近漂上來的便當紙盒、寶特瓶、餅乾袋、吸管、竹籤，進階撿保麗龍浮球、破漁網，沿路看海的地方就是煙屁股最多的地方，偶爾還有玻璃罐、鐵鋁罐，再來就是保麗龍巢穴。一路上發現很多海洋垃圾跟生活息息相關，撿的過程中能回過頭來想想自己的生活方式。
- 吃進塑膠微粒的魚，又被人吃掉，噁心。
- 撿垃圾的過程中，發現很多是隨東北季風從外海漂來的垃圾，我們的垃圾同樣也會漂到其他國家，海洋汙染是全球性的。
- 三十年前的乾糧包裝都沒有爛掉，覺得很驚人。

> **為什麼（Why？）**
> 參與者背後有何原因或目的？
>
> - 理想中的海灘是很乾淨、沒有垃圾的，大家可以安心去玩。
> - 大大小小垃圾隨海漂流不會消失，野生動物容易誤食塑膠碎片而死亡，影響生態循環。
> - 藉著記錄淨攤撿到的垃圾種類、數量，了解垃圾的可能來源，再統計分析這些數據，探討可能的解決方法。
> - 親眼看見海岸到處是垃圾，告訴大家也提醒自己，**最大的目的不是「撿完垃圾」，而是提醒從自身開始改變。**
> - 淨灘不是一次性的活動，在「撿」垃圾的同時，更應該思考**如何「減」垃圾**，延伸到生活中，小小的習慣可以促成環境的大改變。
> - 潛水或搭船，一眼望去海面幾乎都是垃圾，海洋垃圾讓大量海洋生物生病、死亡。

同學好像看出了什麼。

接著975繼續往下說：「每位在場的老師、同學、學弟妹都超級棒，其實大家心中自有答案，我只是幫你們分列清楚而已。我們繼續往下，才能讓你們知道我為何覺得淨灘很有意義。」

975將白板轉到背面，在空白的地方寫下：「**為什麼要去海邊撿垃圾？**」

975說：「我們用剛剛列出來的便利貼答案，歸

納問題產生的主要原因。」

這時候教務主任躍躍欲試，他說：「去海邊撿垃圾的原因是，一旦海洋生態受到汙染而改變，我們的食、行、育、樂方面也會受到影響。」

975非常感謝教務主任的回答，他很擔心同學回答不出來。

他接著說：「有沒有同學能說說食、行、育、樂各自的影響？」

最早提「別人丟，撿不完」的同學舉手，他說：「如果魚都死光光，以後就沒魚吃。」同學們聽完笑成一片。

975笑著說：「沒錯，我也希望一直有魚吃，還有其他同學願意說說嗎？」

一位低年級同學舉手：「我想要爸媽帶我去搭潛水船時，不用再看垃圾跟魚一起出現，很噁心。」

975說：「感謝大家的分享，我們分析一下『可能沒魚吃』、『不想搭潛水船看到垃圾跟魚』，這都是我們要淨灘的原因。」

975寫下食、行、育、樂，繪製**魚骨圖**。（用魚

骨圖分析因果關係）

最後寫下「**關鍵因素**」：

「**垃圾其實都來自於我們。**」

在場的人忽然都懂了為何要去撿垃圾。

白老師在975檔案的總結分析是：

「**以萬物一體的高度來理解自己存在的責任。**」

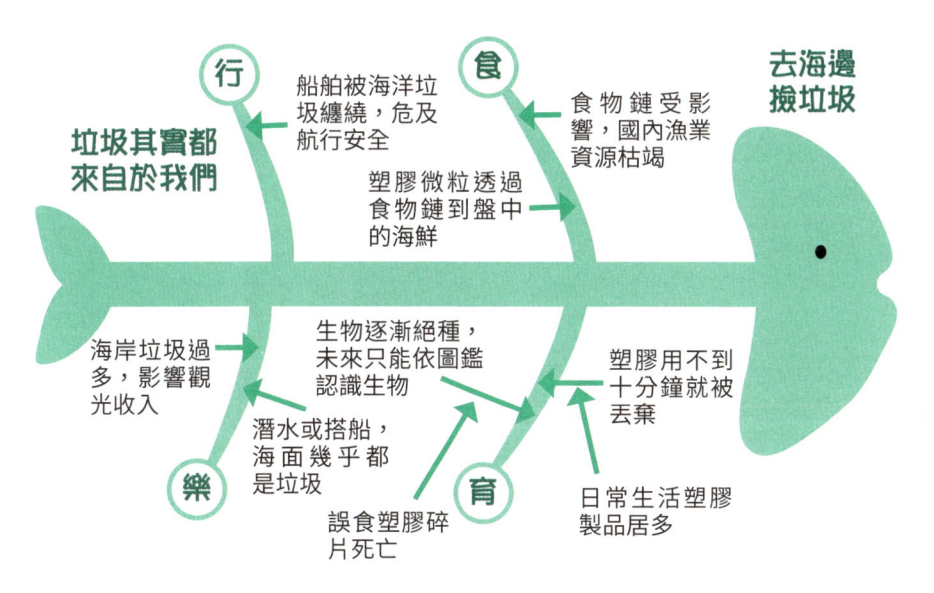

魚骨圖：

去海邊撿垃圾（魚頭）

垃圾其實都來自於我們（魚尾）

- 行：船舶被海洋垃圾纏繞，危及航行安全；塑膠微粒透過食物鏈到盤中的海鮮
- 食：食物鏈受影響，國內漁業資源枯竭
- 樂：海岸垃圾過多，影響觀光收入；潛水或搭船，海面幾乎都是垃圾
- 育：生物逐漸絕種，未來只能依圖鑑認識生物；誤食塑膠碎片死亡；塑膠用不到十分鐘就被丟棄；日常生活塑膠製品居多

尊重他人

想一想你會怎麼做？

你能夠運用「5W1H」和「魚骨圖」分析小艾在學校的校園打掃嗎？

什麼人（Who？）
誰是打掃校園的參與者？會影響到哪些人？

什麼事（What？）
參與者做什麼？

什麼時候（When？）
參與者什麼時候有這些行為？

什麼地點（Where？）
在什麼地方？什麼情況下產生？

如何（How？）
描述參與者如何完成？經驗是什麼？感受為何？體驗過程是什麼？

為什麼（Why？）
參與者背後有何原因或目的？

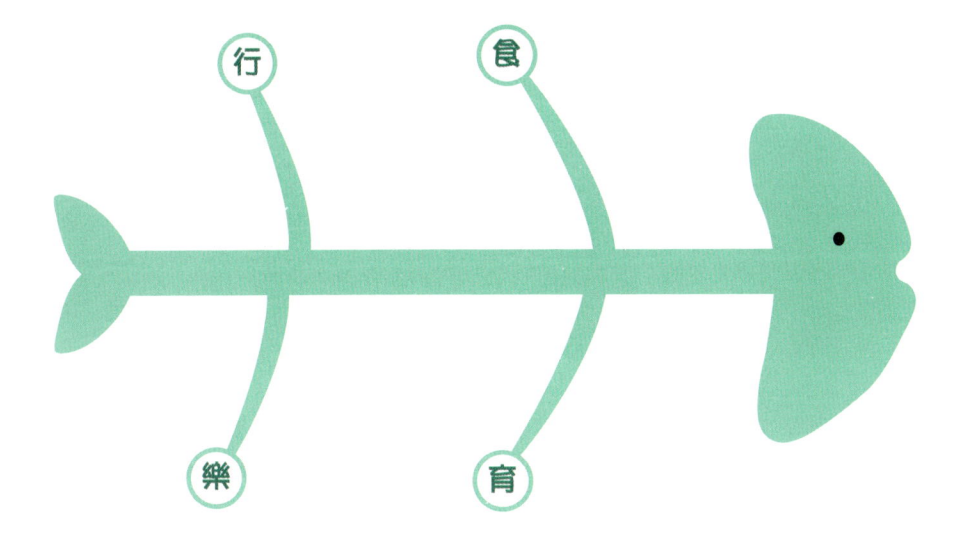

行　食

樂　育

尊重他人

55

> **哲學檔案**
>
> # 什麼是萬物一體？

「宇宙是什麼？人是什麼？」這類的問題在哲學裡歸類為「存在」與「存有」的思考，哲學裡以「Being」這個英文字呈現。

關於Being，中文可以翻譯成「是」，以哲學來說，翻譯成「存有」，它的意思是：因為什麼，所以成為什麼。譬如眼前的杯子，我們稱它為「杯子」，是因為它具備了杯子的條件讓我們認識。或是本章中提到「戀愛的意義」，因為某個條件，所以是戀愛，「存有」就是找出那個條件，並以此定義這個東西。

但中國的哲學會用動態過程認識這個概念，使用「Becoming」這個英文單字，Becoming的翻譯是「成為」，指人透過不同的角色，在互動中學習，而使自己成為更好的自己。譬如：我是×××，我同時是△△學校的學生、父母的女兒、○○○的同學，我在不同的角色中，依角色的倫理道德原則，與相應的人產生互動，就像你應該不會以對待同學的態度來對待爸爸，然後這些不同的角色都讓我更理解自己，成為一個道德完整的人。

在Becoming的基礎上，可以理解每個看似單獨的人，其實背後都有讓你之所以成為這樣的你的關係網絡（很多跟你有關係的人）。因此社會、世界不會只有你一人，從這態度出發就能明白「環境公民論」。

　　「環境公民論」建立在每個人都是地球人的基礎上去談論，並且意識到你是其中一份子，不是與世界切割、獨自的存在。在地球上，你享有地球資源的權利，卻也應該負起相應的責任，這責任除了「人類種族」外，亦包含與其他物種平等、共好的的思考，以此為基礎更往外擴大到非物種的環境資源。這些都是「環境公民論」必須思考的責任對象。因此，不把非人的物種與環境當成僅為「人」服務的資源與工具，人類與其他物種彼此互相學習、互動與成就，Becoming的理論能協助我們與宇宙萬物和諧相處。

CHAPTER 2
認識自己

第1單元
我也想受歡迎

💭 委屈的美華

打掃時間，美華被小昕，還有三、四個小昕的朋友圍在榕樹區。「妳是不是模仿我！」小昕口氣非常不好的質問美華。

「我哪有模仿妳。」美華眼神有些閃爍，不甘示弱的回應。

「妳還說沒有，妳看妳的髮夾、妳的襪子，怎麼都跟小昕的一樣？」其中一個帶眼鏡的同學說。

「還有妳上課回答老師問題的聲調，不注意看還以為是小昕在回答。」另一位朋友接著說。

「我沒有，妳們很奇怪，髮夾好看的就那些，

我跟小昕眼光一樣不行嗎?」美華說。

「我還看到她有跟小昕一樣的手帳呢!」戴眼鏡同學繼續說。

「哪有,妳們在幹嘛啦!欺負人……」美華委屈的聲音微微哽咽。

「妳也不能搞得跟我是雙胞胎一樣,我感覺很不舒服。」小昕直白的說。

「那些都是大家也可以有的東西,我們眼光一樣妳幹嘛不舒服,妳才有病!」美華眼睛微溼。

「反正我就是要跟妳說我不喜歡這樣,沒有要欺負妳,就只是講出我的感覺。」小昕並沒有因為美華微溼的眼眶而軟化,依舊直接回應。

美華委屈的撇撇嘴。

這時候白老師路過榕樹區,看到這群雖然說話不大聲,但明顯有點狀況的同學們。

白老師主動走了過去問:「同學們,發生了什麼事嗎?」

幾個女生看了看美華,又看了看小昕。

小昕主動說:「沒什麼,老師,我們要去打掃

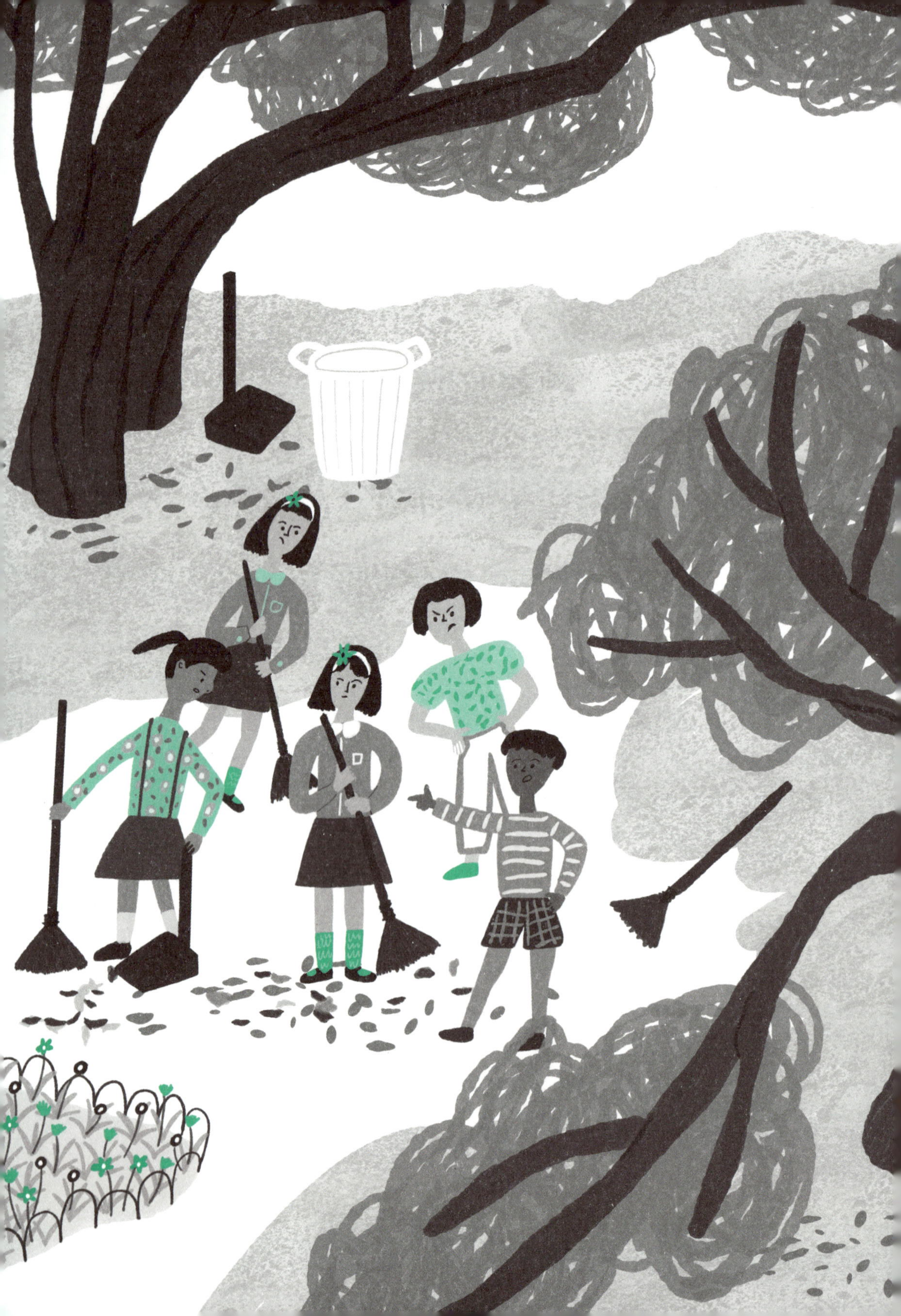

了。」說完就跟著同學們轉身離開。

老師看著眼眶微溼的美華說：「如果願意，要不要跟我一起回檔案室聊聊？」

美華沉默的點了點頭。

※

到了檔案室，白老師請美華坐在沙發區，並為她倒了一杯熱茶。

白老師坐到她對面說：「如果妳願意，跟我說說剛剛發生什麼事情好嗎？」

「我是打掃榕樹區的，才剛要打掃，小昕就過來，跟我說她不喜歡我很像她，就像是在模仿她……」這時候美華忍了許久的眼淚才滑落。

白老師抽了張桌上的面紙，遞過去。

「妳先冷靜一下，老師請問妳，妳覺得自己在模仿她嗎？」白老師溫柔的看著她。

「小昕喜歡的東西我也滿喜歡的。」

「就這樣而已嗎？」白老師繼續問。

「嗯……我覺得像她一樣搭配，滿好的。」

「所以……？」白老師問。

「所以我也就這樣搭配了⋯⋯」

「妳認為妳在模仿嗎？」白老師繼續問。

「我⋯⋯我不知道。」美華這時已經比剛進來冷靜很多，眼淚也差不多擦乾了。

💬 找出自己的風格

白老師拿出一張紙和一疊淡藍色的便利貼。

「我們用一個思考小工具來幫助我們更理解整件事情的脈絡，才能明白問題是什麼。」

美華一臉茫然的看著白老師快速在紙上畫出標示著「Who、What、When、Where、How、Why」六大區塊格子。

「來，試著在每一個區塊下列出相關聯的問題清單。」白老師開始使用 **5W1H方法**幫美華找出問題。

「首先,我們想想穿搭、講話方式都跟小昕很像這件事情,跟誰有關係?會影響到誰?」

美華很委屈的撇嘴回答:「就我跟小昕兩個人。」

「妳覺得誰跟這件事情還有關係?這件事情會不會影響到別人呢?我們試著對每一個問題找到一個以上的答案。」

白老師拿彩色筆將答案寫在便利貼上,並將便利貼貼在 Who 區塊中,然後依序往下問。

「我們一起審視所有的答案,留意回答中的矛盾之處,這往往可能就是解決問題的切入點。」白老師說。

美華檢視著白紙上一張張藍色便利貼的內容。

「矛盾的地方……?」美華歪著頭想著。

什麼人(Who?)
與小昕相似的穿搭、說話方式,這件事情跟誰有關係?
這件事情會影響到誰?
在這件事情上誰做決定?

參與者:我(美華)、小昕、小昕的朋友。
影響到的人:我、小昕、小昕的朋友。
決定者:我決定如何穿搭和說話方式。
　　　　小昕決定看到我穿搭、講話方式時的情緒。
　　　　小昕的朋友決定看到我穿搭、講話方式時的情緒。

什麼事（What？）
與小昕相似的穿搭、說話方式，這件事情的問題是什麼？
我的委屈感來自哪裡？
我想要從這件事情中得到些什麼？

- 有人跟她像是雙胞胎，小昕對此感到不悅，而我感到委屈。
- 我很欣賞小昕，想經由「跟她很像」，來找出自己的風格。
- 我只是剛好喜歡跟她一樣的穿搭，就被小昕和她的朋友很不高興的質疑。
- 與小昕穿搭、說話方式相似，會帶來更多稱讚，能多交些朋友。
- 我能和小昕變成好友，並進入她的朋友圈。

什麼時候（When？）
與小昕相似的穿搭、說話方式，這件事情是從什麼時候開始的？
我想何時看到期待的結果？

- 這一個月開始學習小昕的穿搭、說話方式。
- 希望能在改變自己的穿搭和說話風格後，立刻得到同學的認同。

什麼地點（Where？）
與小昕相似的穿搭、說話方式，發生在什麼地方？

- 發生在上課時間和校園內的每一個角落。

為什麼（Why？）
我為何要選擇學習小昕的穿搭和說話方式？
這個問題為什麼重要？

- 小昕喜歡的東西我也滿喜歡的，像她一樣搭配，滿好的。
- 小昕在班上很受歡迎，讓自己看起來像她，其他同學也會開始注意我。
- 我想要有屬於自己，且令人讚美的穿搭風格和說話方式。

「剛好喜歡跟她一樣的穿搭」、「小昕在班上很受歡迎,讓自己看起來像她,其他同學也會開始注意我」、「我想要有屬於自己,且令人讚美的穿搭風格和說話方式」美華挑起這三張便利貼。

「美華很棒喔,已經找出一些關鍵線索。來,我們繼續完成下面的框框。」

如何(How?)
讓自己看起來跟小昕很像的過程中感受如何?
如何把難題變成機會?
要如何嘗試解決這個難題?

- 我覺得需要完全模仿另一個人才能得到認同,這會帶來壓力和焦慮。
- 模仿小昕的同時,對「自己到底是誰」感到困惑或掙扎。
- 需要先了解自己是什麼樣的人,有什麼優點和缺點。
- 可以從他人身上學習到穿搭和說話方式,並將其融入到自己的風格中。

「妳有沒有覺得自己其實滿好的?妳其實能更喜歡自己?」白老師說。

「可是我不知道自己哪裡好?」美華沒自信的喝著溫水。

「我們來做個練習。」白老師說。

發現自己優點的練習

「利用 AEIOU 活動描述分析法觀察、記錄日常生活中的事件，可以幫助我們更深入的了解自己，並發現自己的優點。」白老師邊說邊拿出另一張白紙，寫上大大的「A、E、I、O、U」，並說明每一類可以用上的參考問題：

U（使用者）：活動中你扮演什麼角色？一旁有誰？他們扮演了什麼角色？他們為活動帶來了正面影響還是負面影響？

A（活動）：發生什麼事？活動中你在做什麼事？是否有扮演特定角色？還是參與者？

E（環境）：你所處的活動環境看起來如何？它帶給你什麼樣的感覺？

I（互動）：當時互動對象是人或者是機器？你和對象是如何互動？這種互動對你來說是陌生的還是熟悉的？

O（物品）：你是否有和那些物品和裝置互動？這些事物能帶給你投入感嗎？

「我記得妳很喜歡畫畫,參加了美術社團。」白老師說。

「我們就用畫畫活動來發現妳的優點吧。」白老師將一疊便利貼和色筆交給了美華。

U（使用者）	我（美華）。美術社團的幹部、同學、美術老師。努力學習繪畫技巧。
A（活動）	美術教室各種繪畫活動。經常參與並嘗試創作,常為學校活動創作海報。
E（環境）	充滿創意和靈感的地方。感到自由和舒適、盡情揮灑創意。
I（互動）	美術老師和同學。討論繪畫技巧、分享作品、獲得靈感。
O（物品）	繪畫工具、創作的重要工具。用它們來表達自己的想法和情感。

「妳發現了什麼嗎?」白老師微笑的問美華。

「嗯,我在團隊合作、創作思考、繪畫技巧方面都很不錯耶!」美華說。

「再想想,妳還有什麼發現嗎?」白老師說。

「我還很願意嘗試新的事物、繪畫時有很強的專注力、很會用畫筆和顏料來表達自己的情感。」美華興奮的說。

認識自己

「謝謝老師，我覺得舒服多了。」美華微笑看著白老師說。

「妳覺得妳會怎麼面對小昕？妳們同班吧？」白老師問。

「我會真心誇獎她，我想我可以辦到的。只要知道自己的好，就不會再有以前那種模仿的心情了，也能真心誇獎人。」美華說。

「沒錯，雖然可能她們一開始會質疑妳，但只要妳對所有事都是這樣，久了她們就會懂。所以別急，也別放棄。」白老師站起來拍拍美華的肩，微笑著說。

美華起身，對白老師鞠了個九十度的感謝禮。

白老師在美華離開後，拿了一本空白綠色檔案夾，打算將美華的事情寫入檔案。

她在開頭的第一行寫下：

「成長是在『模仿他人、型塑自我』與『疑惑他人、認同自我』中反覆修正前行；認識自己的優點，並且擁抱自己的缺點，是認識自己，形成自己也喜歡自己的最重要原則。」

想一想你會怎麼做？

回想你一天行程中有沒有「特別不一樣」的時刻，請運用「AEIOU 法」記錄當下正在進行的事件，蒐集越多事件，越了解自己興趣、熱情和能力所在。

範例

事件： 我今天下午練習跳 K-pop 舞蹈。	
當時的使用者（U）	我、跳 K-pop 舞蹈的同學、指導老師。
我在做的活動（A）	練習跳 K-pop 舞蹈、學習新動作、練習舞蹈組合。
我在哪裡（E）	舞蹈室、有明亮照明和大面鏡子、K-pop 音樂、旁邊有認識或不認識的練舞同學。
當時的互動對象、狀況（I）	自己、指導老師、同學，一起學習舞蹈動作，互相鼓勵和指導。
使用了什麼物品（O）	舞蹈室的設備，如鏡子、音響系統、水瓶。

反思：練習跳舞時，我感到非常充實與快樂。學習新的舞蹈動作和挑戰舞蹈組合，與其他同學一同練舞，互相鼓勵和分享技巧，都讓我感到興奮和對 K-pop 的喜愛。練舞過程中，還體會到不放棄努力練習的成就感。

認識自己

■ 換你寫寫看

事件：	
當時的使用者（U）	
我在做的活動（A）	
我在哪裡（E）	
當時的互動對象、狀況（I）	
使用了什麼物品（O）	

反思：

第 2 單元
玩遊戲輸了，好生氣

🗨 混亂的晨間閱讀

　　學校有個家長們都讚不絕口的創舉，就是學長姊會去直屬學弟妹班級帶大家晨間閱讀。

　　特別是一二年級認識的國字不多，聽著五六年級的學長姊講故事時，比聽老師講多了些親近感，也更願意提問。

　　分享的學長姊也自主增加閱讀量，並為了分享反覆訓練口條。

　　但這項活動讓六年級的小茵非常不耐煩——剛開始她也是興致滿滿。

　　回想小茵開學第一次分到與二年級的直屬班分

享時，她花了整個星期準備《原來大家都不一樣》這本書，甚至為了增加趣味，運用現成桌遊，設計了給學弟妹互相觀察同學特點的遊戲。

結果根本是崩潰的晨間閱讀啊！不受控的學弟妹遊戲時居然吵了起來。

小茵控制不住場面，直到老師回到班上，才協助處理完吵架事件。期末又輪到她去帶晨間閱讀，她很害怕，因此帶著急需求助的心情來到檔案室。

✻

「我其實覺得晨間閱讀的帶領活動很好，但……我真的很害怕分享時又變成一團亂。」小茵急切的看著坐在對面的白老師。

「這活動在別人身上是美好的故事，怎麼到我這就變成『事故』呢？」小茵沮喪的說。

「別洩氣！我沒有在現場，沒辦法實際分析細節。不過或許我手邊的這個案例可以幫助妳。」白老師起身，在第三排檔案架上找了一會兒。

小茵看著一排又一排的檔案，想著這些檔案夾裡是「事故」還是「故事」呢？

「這本或許對妳有幫助。」白老師遞給她一本綠色檔案夾。

510號檔案

人物基本資料

510

屬性：專長是爵士鼓，覺得自己的能力不是縣市數一，也是屬二。五歲開始學鼓，鼓齡數一數也有六年了，大小競賽年年參加。

能力：獨立思考能力 50%。

弱點：不喜歡輸的感覺，輸不起。

翻開檔案，第一頁的下方，白老師當時為510檔案的總結分析是：

「**喜歡自己的優點，同時擁抱自己的不完美，每個不如意的結果，都有你曾經努力的痕跡，值得**

好好被你自己疼惜。」

510檔案內容

　　這次縣市音樂營特別搬到了戶外，結合露營與尋寶，讓各項樂器的好手們，除了兩天一夜的集訓外，亦能在練習之餘參加趣味遊戲。

　　集訓營共四十人，爵士鼓、小號、黑管、長笛、薩克斯風各方好手齊聚一堂。

　　510的專長是爵士鼓，他覺得自己的能力不是縣市數一，也是屬二。雖然他不懂小號、薩克斯風這些樂器，但不影響他在音樂營中跟別人互動的自信。

　　510的這份自信，卻在眾人放下樂器，進行午餐闖關遊戲時破功。

　　老師們設計了闖關遊戲，完成任務才能贏得食材卡，關卡共五關，外加一個豪華關卡，即便只完成三關，也能換得一份健康的午餐料理。如果通過豪華關卡，更能贏得小孩喜歡但家長討厭的「炸雞排＋可樂」一份。

　　總指揮陳老師發布消息時，同學們一陣興奮，

臉上躍躍欲試。

同學們有一個小時闖關，不用照順序，最後回到營地遮陽棚下，計算成績並發放午餐。

第一關是「大風吹」，501認為最簡單，也如他所願，成為最後搶到五把椅子的其中一位，贏得第一張食材卡，他很開心。

接下來是比觀察力的「尋找紫蘇與刺蔥」關卡，老師細心的講解兩種屬於「臺灣原生香料」的背景知識，並給他們看實體。

「紫蘇葉味道聞起來甜甜，有微微的薄荷味，又混有淡淡的孜然、茴香和肉桂氣味，看顏色是最好分的。」負責關卡的老師將手中的紫蘇葉給大家近距離觀察。

「刺蔥葉帶檸檬味，莖上有小刺，很容易辨別，採摘時請注意安全。這兩個都是營養價值很高，可入菜的食材，晚餐就靠大家了！」老師笑咪咪的說。

順利完成尋找「臺灣原生香料」後，510同樣順利完成考驗力氣的揉麵團，與考驗平衡感和呼吸的端雞蛋繞樹林，這些都是他平時打鼓時常練的基本功，

很多女生在揉麵團就沒有過關。

最後是「尋找竹節蟲與枯葉蝶」，這兩種具有擬態能力的昆蟲，很容易與樹林裡的枯枝、落葉搞混。因為實在不容易，關卡老師偷偷放水說找到其中一種就可。

510這個關卡差點過不了，要不是一隻枯葉蝶剛好停在馬路上，他一定會失敗。510很驕傲贏得五張食材卡滿貫。

最後的第六關只有集到五張食材卡的人才能參加。

510自信的走到總指揮陳老師面前，發現與他一同出來的還有五位同學，分別是彈鋼琴、同年級的阿飛、吹薩克斯風的學弟，另外還有法國號、小號跟長笛的三位女生。

陳老師把隊伍分成男生一組、女生一組，開心的宣布：「最後的豪華關卡我也說不準哪一邊會勝出，因為要比哪一組最先用木炭成功生火，考驗如何排木炭與風口的觀察，現在就請兩組同學領火種跟木炭，大家就定位後馬上開始。」

同學們七嘴八舌的說：「好像很難……我連打火機都不會用。」「你可以鑽木取火，哈哈。」

兩組在陳老師的確認下，公平的一起開始。其他同學在旁邊緊張的觀看，時而發出鼓勵的聲音。

510跟阿飛有兩次因為木炭排法小不愉快，510覺得就是木炭啊，堆一起就是了，但阿飛很堅持，他認為陳老師強調木炭排法，一定是有原因的，而且一定有好生起火的排法。

在兩人意見相左快吵起來時，學弟忍不住說：「兩位學長，你們快點，女生組已經在放火種了。」

510與阿飛這才忍下要吵架的衝動。

說也奇怪，原本不被看好的女生組，平常練習樂器的肺活量居然在這次幫了大忙。

最終她們比男生組先完成並通過老師的檢查。

當陳老師宣布女生組獲得豪華餐點時，510不開心的站起來，看著蹲在地上繼續堅持生火的阿飛跟學弟說：「跟你們一組真是倒楣！」

阿飛一聽也不開心了，站了起來，用手中捲成管狀的報紙指著510說：「你什麼意思！沒出多少

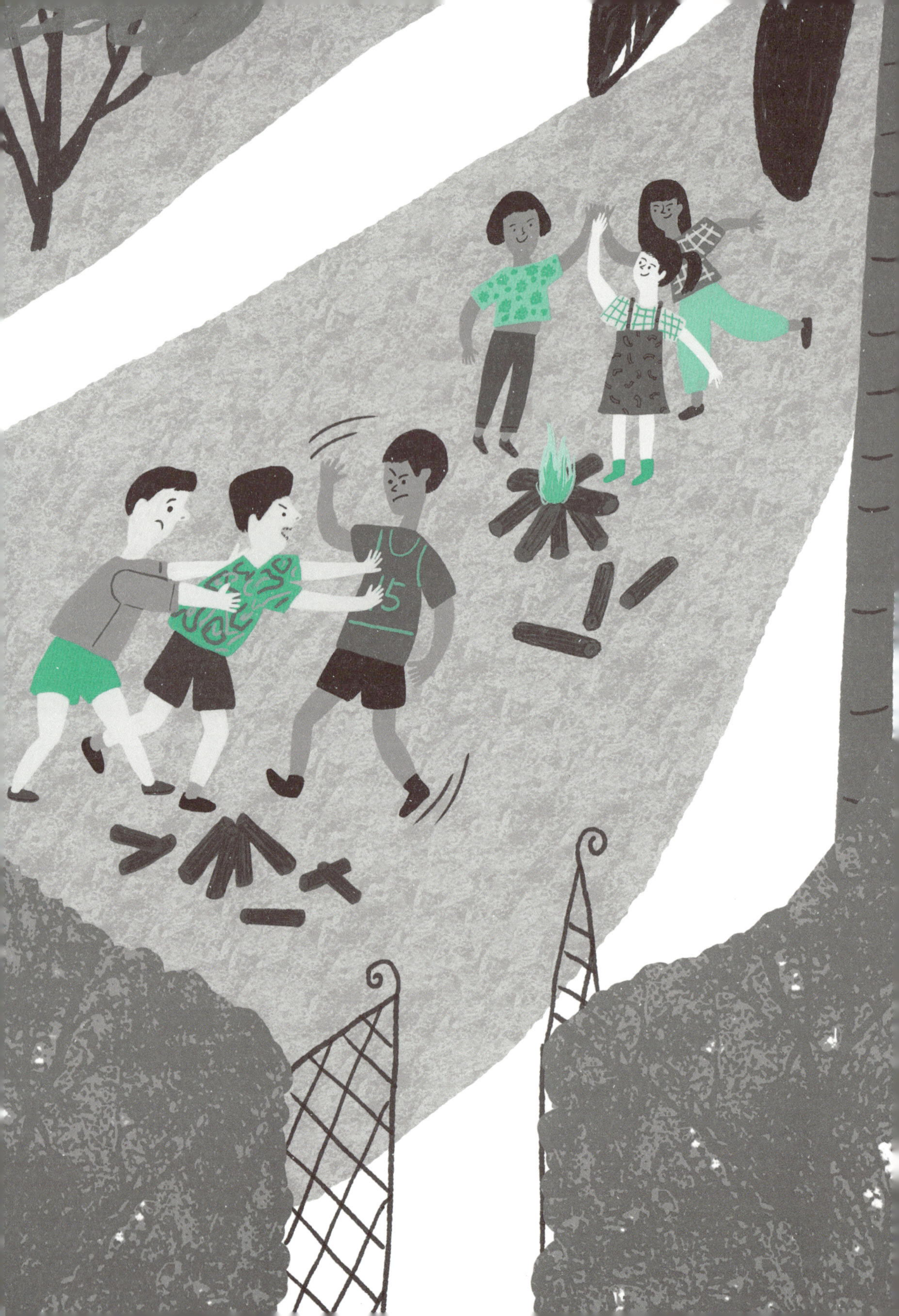

力,只出一張嘴,很了不起啊。」

「我就說不要浪費時間排木炭,趕快生火,你不聽,後面又跟我計較火種位置,都是你計較東計較西,輸了吧!」510抬起下巴,指責阿飛。

「學長們,沒關係啦,別吵了,輸了只是少吃雞排跟可樂而已啊,我們志在參加。」學弟站起來緩頰。

「誰跟你志在參加,我要贏好嗎!你們不清楚狀況才會輸。」510砲火猛烈的轉向學弟。

「我們就是志在參加,你這輸不起的傢伙!」阿飛大吼。

「誰輸不起!」510上前要推阿飛,學弟看狀況不對,往後拉開阿飛。

「躲什麼,膽小鬼!」

「你才膽小鬼!輸不起!」阿飛也生氣了,甩掉學弟緊緊抓住他的手,想衝過去教訓510。

這時陳老師匆忙將炸雞桶推給女生組,連句恭喜的話都講不上,趕緊衝到510這邊說:「喂喂喂,你們幾個在幹嘛!」

「好好的比賽怎麼也能吵架,你們是同一隊啊,

都給我退一步。」陳老師用身體隔開阿飛跟510。

看著因吵鬧聲聚集來的同學，陳老師馬上轉身宣布：「羅老師，帶同學用午餐，活動到這結束，去吃飯吧！」然後轉身對510、阿飛、學弟說：「你們三個，跟我到休息區來。」

陳老師讓三位男生圍著簡單木桌椅坐下，說：「你們幹嘛吵架？」

「他輸不起！」

「他膽小鬼！」

阿飛和510同時開口。

陳老師瞄了一眼兩人的狀況，大概能想像發生哪些事。剛剛生火時，他一直觀察著兩隊的狀況。

🟢 尊重與自己不同觀點的人

陳老師撿起樹枝，在地上畫一條粗線，線的一頭框了一個框，寫上「510與阿飛的生火爭執。」

「我們重新回想剛剛生火過程中發生的事情，釐清衝突發生原因。」陳老師說。

「我跟阿飛說不用在堆木炭上傷腦筋，他就是不聽！」510率先發難。

「然後又跟我計較火種位置，都是他愛計較不聽我的話，才會輸！」510臉脹紅的繼續說。

「老師一開始就強調排木炭的方式和觀察風口很重要耶！」阿飛快速的反擊說。

陳老師邊聽邊在粗線的右側畫了一個框，寫上**「溝通」**。

「在排木炭方法的意見不合，老師覺得你們並沒有有效表達自己的觀點，例如用『我覺得……』而不是『你錯了』這樣的話來表達觀點，避免攻擊對方。」陳老師說。

「學長們應該要好好傾聽對方的意見，而不是大吼或動手動腳。」學弟低聲嘟囔著。

陳老師邊聽邊寫下「**表達觀點的方式**」、「**傾聽對方意見**」，又畫了一個框，裡面寫上「**情緒**」，並寫下「**衝突中保持冷靜**」、「**情緒激動時仍能適時表達自己感受**」、「**不讓情緒控制了行為**」。

「團隊中每一個人的觀點都不盡相同，接受和

處理批評是非常重要的，才能減少衝突。」陳老師說完又寫下「**處理批評的能力**」。

「老師，我覺得是阿飛和學弟搞不清楚狀況才會輸。參加就是要贏，我要贏，不喜歡輸！」

「我們就是志在參加好嗎？是你搞不清楚狀況！」阿飛翻著白眼。

「老師，我覺得兩位學長對於活動的目標很不一樣。」學弟說。

陳老師微笑著點點頭，示意學弟繼續說下去，並在地上畫框寫下「**目標不一致**」。

「510學長的目標是贏得比賽，阿飛學長和我的目標是參與比賽。目標不一致可能導致他們處理問題時的方法和態度不同。」

陳老師寫下「**不一致的策略**」。

「當團隊成員目標不一致時，可以透過討論和協商達成共識，找出可以滿足所有隊員目標的解決方案，這樣團隊成員才都會朝著同一個目標努力。」陳老師拿著樹枝指著泥土地上的「**溝通**」、「**情緒**」、「**目標不一致**」三個框框。

「你們有發現三個問題的關鍵原因是什麼嗎？」

陳老師寫下**「尊重與自己不同觀點的人」**幾個大字。

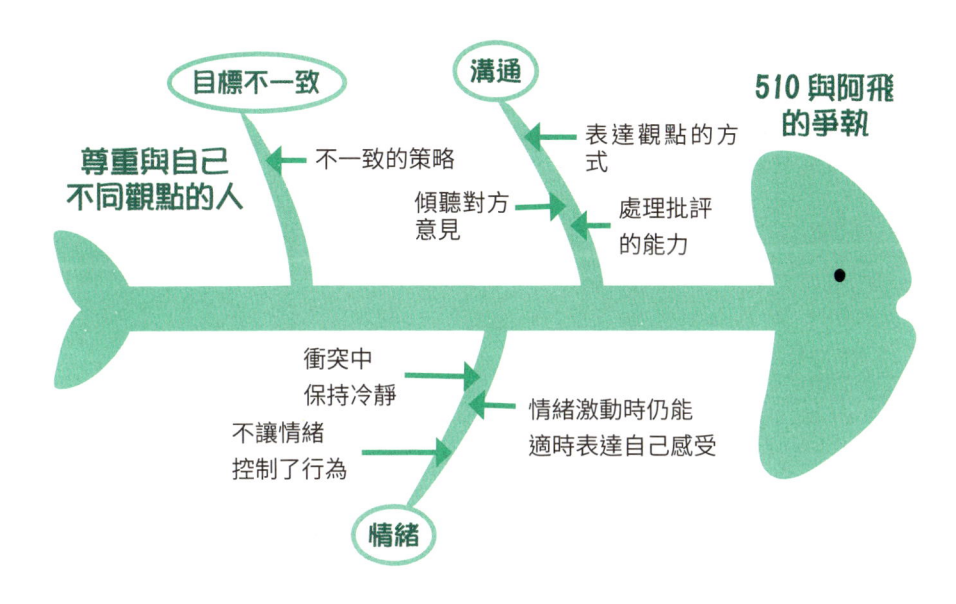

```
                目標不一致        溝通              510 與阿飛
                                      表達觀點的方式    的爭執
    尊重與自己          不一致的策略
    不同觀點的人                    傾聽對方    處理批評
                                   意見       的能力

                    衝突中
                    保持冷靜
                              情緒激動時仍能
              不讓情緒        適時表達自己感受
              控制了行為
                        情緒
```

🟢 疼惜自己的努力

「510，老師知道，輸掉比賽你非常的生氣，我們一起試著再來想想輸掉生火活動這件事。」陳老師對510說。

陳老師又用樹枝在地上畫分出六大區塊，分別填上什麼人（Who？）什麼事（What？）、什麼時候（When？）、什麼地點（Where？）、如何（How？）、為什麼（Why？），並逐一與510討論。

什麼人（Who？）
這件事情跟誰有關係？
這件事情會影響到誰？
在這件事情上誰做決定？

參與者：我（510）、阿飛、學弟。
影響到的人：我、阿飛、學弟。
決定者：我和阿飛。

什麼事（What？）
這件事情的問題是什麼？
我的生氣感來自哪裡？
我想要從這件事情中得到些什麼？

- 生火活動失敗，尋找各種理由為自己的失敗辯解，這可能包括指責他人、否認自己的錯誤，或者將失敗歸咎於其他因素。
- 無法接受自己的失敗。
- 不願接受批評，將錯誤歸咎於他人。

什麼時候（When？）
這件事情是從什麼時候開始的？

因為輸掉活動面臨失敗或挫折時。

什麼地點（Where？）
發生在什麼地方？

任何競爭環境中都會出現。

為什麼（Why？）
這個問題為什麼重要？

- 得失作為衡量自己的唯一標準，所以一旦遇到挫折就認定自己失敗。
- 我很害怕失敗，凡事一定都要成功。
- 對任何形式的失敗感到不滿，面對挫折時感到沮喪和無助。

如何（How？）
這個過程中感受如何？
如何把這個難題變成機會？
要如何嘗試解決這個難題？

- 沮喪、害怕、不滿、無助。
- 輸的感覺真的很不好，它給了太多否定自己的訊息，覺得自己不是最好的。
- 輸就是失敗、不夠用心、無法被看見、不會被肯定。
- 失敗是成功的一部分，並且每一次的失敗都是學習的機會。
- 需要學會接受失敗並從中學習。
- 從失敗中找到學習的機會，並應用於未來的挑戰中。

　　陳老師說：「我們都喜歡贏，贏的感覺是那麼好，具有強烈的吸引力，為我們帶來成就感！透過實質的肯定，成就感很明確。

　　「我們都不喜歡輸的感覺，因為輸就是失敗，

認識自己

暗示著自己可能不夠用心，或能力不足，無法被看見、不會被肯定，這種感覺真的很不好、很難受。」

510點點頭。

陳老師繼續說：「但是失敗是成功的一部分，每一次的失敗都是學習的機會，我們應該要**疼惜自己的努力，成為不服輸，但輸得起的人。**」

510檔案的總結分析是：

「喜歡自己的優點，同時擁抱自己的不完美，每個不如意的結果，都有你曾經努力的痕跡，值得好好被你自己疼惜。」

小茵闔上檔案，抬頭看著白老師說：「如果再遇到學弟妹爭吵，我就用檔案中的方法試試。」

白老師微笑說：「我相信妳一定能好好帶領晨間閱讀的！」

想一想你會怎麼做？

你有過跟別人起衝突的經驗嗎？能夠運用「5W1H」分析自己在事件中的狀況嗎？

範例

情境： 我和小雨在班上起口角，最後演變為校園小衝突。

什麼人（Who？）
誰參與其中？

只有我和小雨。

什麼事（What？）
發生了什麼事情？

我和小雨在分組討論中意見不合，導致在操場上起口角並互相推擠。

什麼時候（When？）
什麼時間發生衝突的？

發生在下午體育課，大約是三點鐘左右。

什麼地點（Where？）
在哪裡發生的？

籃球場，在打籃球的時間。

為什麼（Why？）
為什麼會發生？

只想在討論中爭贏，沒有靜心聽小雨想法，導致雙方情緒升高。

如何（How？）
事情是怎麼進行的？
我應該如何避免再次發生？

- 起初，我和小雨先表達彼此的不滿，隨後言語激烈起來，最終升級成了推擠和拉扯。
- 面臨意見分歧時，先在心中倒數六十秒保持冷靜，提醒自己不需要爭贏，達到團隊共識才是最重要的。

■ 換你試試看。

什麼人（Who？）
誰參與其中？

什麼事（What？）
發生什麼事？

什麼時候（When？）
什麼時候發生的？

什麼地點（Where？）
在哪裡發生？

為什麼（Why？）
為什麼發生這樣的事情？

如何（How？）
事情是怎麼進行的？
我應該如何避免再次發生？

認識自己

哲學檔案：認識自己

柏拉圖是古希臘哲學家，蘇格拉底的學生，亞里斯多德的老師，這三位就是古希臘歷史上的三大哲學家。

柏拉圖的〈申辯篇〉記載著蘇格拉底的一段話，提到：「不要先關心『自己的』，而要先關心『自己』。」這精神貫串著蘇格拉底的一生。關於「自己的」跟「自己」的差別，舉個例子來說，開學老師發課本，貼上我自己的姓名貼後，這本課本就是「自己的」，但我不是課本，所以課本不是我「自己」。

蘇格拉底作為柏拉圖的老師，有生之年最常做的事情就是在雅典廣場中與人聊天，當遇到高傲的醫生，會請教對方「什麼是醫生？」遇到政治家、商販也都會向他們請教他們自以為了解的事情，結果問到最後，不是把人氣走，就是問到別人啞口無言。讓對方發現其實自己並沒有想像的這麼厲害；也就是「不夠認識自己」。

努力認識自己有什麼好處？

最重要的好處是會發現加在身上的名聲地位，都無法真誠的定義自己，因為那些好像是「自己的」，但並

非「自己」，就像穿著鑲滿鑽石的大衣，畫了濃妝的臉蛋，如果沒有辦法認識自己，在脫掉大衣、卸了妝後，便充滿著不自信，好像「自己」沒有任何可以撐起來的東西，這時面對別人的情緒通常非常激烈，譬如用憤怒來掩蓋恐懼，或乾脆躲起來不面對。無法在事件中、在面對別人時表達出自己對人、事、物的立場。

認識自己，能讓我們活得很有「態度」，可以明確知道自己面對事情的立場，不唯唯諾諾、不模稜兩可、不隨便，而表現思考過後的姿態，別人也會因為你的自信姿態而重視你。

CHAPTER 3
同理他人

第 1 單元
看到有人被霸凌怎麼辦？

🗨 同學被霸凌了

「阿仁，你們班四號同學最近有去學校嗎？」媽媽下班回家，開門看到阿仁第一句話就問。

「沒啊，怎麼問這？」正在沙發上吃零食的阿仁說。

「他被霸凌你知道嗎？」媽媽沒回答阿仁問題，接著提問。

阿仁停下吃東西的動作，沉默著點了點頭。

「這件事發生多久了？」媽媽緊張的隨手放下公事包，在阿仁身邊坐下。

「是問霸凌事件？還是問他沒來學校多久了？」

阿仁有點緊張的微微挪遠跟媽媽的距離。

「先說霸凌事件好了？」媽媽認真的看著阿仁。

「具體我不知道多久，不過上個禮拜四幾個班上的同學鬧他，好像滿嚴重的，他還提早離校。」阿仁說。

「然後他就一直沒到學校，今天也沒出現。」阿仁繼續說。

「所以你只知道某一天有衝突，然後他就沒去學校，是嗎？」媽媽瞇著眼盯著阿仁看。

「幹嘛用奇怪的眼神看我啦，搞得好像是我霸凌他！」阿仁有點不舒服的說。

「倒是今天幹嘛問這個？」阿仁反問。

「我在你班級的家長LINE群組內看到四號同學的爸爸po出的驗傷單，還有去警局報案的紀錄，才知道你們班發生這麼大的事情，嚇我一大跳！」媽媽說。

「居然還報案！」阿仁也嚇得從沙發站起來。

「你們班有同學霸凌其他同學，怎麼回家沒跟我說？」媽媽看著阿仁。

「這有什麼好說的，其實我根本沒注意到這件

事。」阿仁有點急的轉身，想回房間看手機的班群訊息。

「唉，媽媽都還沒問完，你要去哪？」阿仁的媽媽高聲問。

「等等再問啦，我先看班群！」阿仁的聲音消失在房門後。

‹ 606，最 666

仁：大家知道4號他爸去警察局提告的事嗎？？

豪：不知

呆：不知，我剛補習下課

叡：阿仁從哪知道這消息？

仁：我媽說在家長群看到4號爸爸自己說的

明：我知道這消息，今天送作業給老師時，聽到老師要跟學校開緊急會議

‹ 606，最 666

仁：天啊！我媽跟我說時我還不相信

豪：4號他爸提告哪些人啊？

叡：還能有誰，不就應該是錢仔他們那幾個嗎？

仁：你怎麼知道，你有看到錢仔欺負人喔？

叡：嗯，就我那天午餐前，先去球隊集合，回教室時在走廊上看到衝突

豪：你說的是他們一起當值日生抬便當的那天嗎？

‹ 606，最 666

明：那你怎麼沒跟老師講？

叡：錢仔ㄟ，看他的姓我就知道我惹不起

呆：所以你假裝沒看到走了？

叡：阿呆，你講話客氣點喔，我哪有假裝沒看見

仁：那你可以跟我們說啊

叡：我就不知道該怎麼處理啊～所以沒說

這時阿仁身後的門打開，伴隨著媽媽的聲音。「我覺得我還是有必要跟你聊一下。」媽媽自顧自的坐在床沿面對著阿仁。

　　阿仁只好放下手機。「我們班同學也是剛剛才知道這件事。」

　　「同學被欺負難道一點跡象都沒有，你們平常都沒發現？」媽媽非常狐疑。

　　「就……那是他跟班上欺負他的同學的事，我覺得他應該要先自己處理。」阿仁把手機放在桌上，有點無奈的看著媽媽。

　　「所以有多久了？」媽媽問。

　　「我就說我沒注意，都是一些小事，譬如欺負他的同學會跟他拿文具不還啊，玩他的餐盒、堵他的路……」

　　阿仁還要繼續說卻被媽媽打斷。「等等，文具不還我聽得懂，但什麼叫『玩他餐盒』？」

　　「就是三個同學下課拿他的餐盒傳來傳去。」阿仁說。

　　「那堵他的路是？」媽媽問。

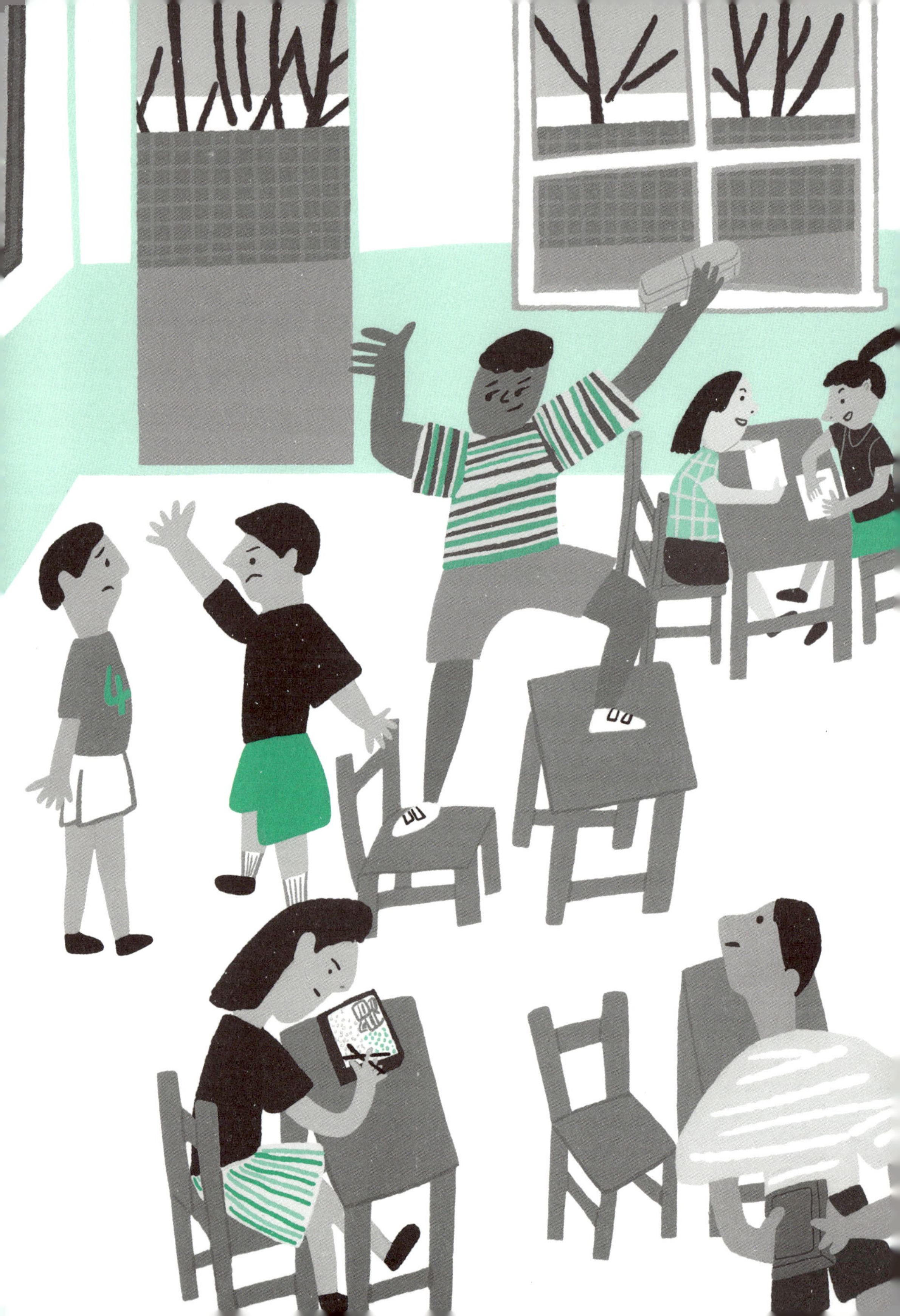

「就是看他要走哪，用身體堵住前門或後門戲弄他。」阿仁說。

「你們都沒看見？」媽媽拔高聲音。

「看見了啊，我就說我覺得那是他的事了。」阿仁說。

「你知不知道你們的沉默或視而不見，只會讓欺負人的同學越囂張，被欺負的同學越孤立無援，你們是幫凶啊！」媽媽嚴厲的說。

「哪有，我們才不是幫凶，我們也想幫忙啊，但要怎麼幫？會不會我幫他講話，我就是下一個被欺負的人？」阿仁也很憤怒的看著媽媽。

媽媽覺得有必要跟阿仁好好釐清**「霸凌幫凶」**這件事，還有如何好好的處理**「擔心成為下一個被欺負的人」**的心態。

她不希望阿仁成為一個沒有仁義道德、趨利避害的孩子。

不想成為霸凌幫凶

「看見有人被霸凌時,有些人會選擇冷眼旁觀,有些人會選擇伸出援手。」媽媽看著阿仁。

「我也想幫忙啊,但要怎麼幫?要是我被波及,成為下一個被欺負的對象,怎麼辦?」不等媽媽說完,阿仁搶著說。

「被霸凌是被害同學的私事,沒有辦法介入啦。」阿仁兩手一攤,仰著頭說。

「當你設身處地感受被霸凌者是多麼難受,甚至有人一度覺得不如死了算了,就不會覺得沒有必要去關注別人的處境。」媽媽說。

「就算我覺得不對,同學都沒人講話,我出什麼頭,站出來可能其他同學還會認為我很怪,或是被報復。」阿仁甩甩頭說。

「我記得你之前在學校學過**魚骨圖分析法**,還回家教我,我們不妨利用這個方法來想想沉默或視而不見,到底讓霸凌帶來什麼結果。」

媽媽拿出一張白紙,在紙上畫了一條粗黑箭頭,並在紙上寫下剛剛的對話要點:

- **霸凌是被害同學的私事，不願主動介入。**
- **擔心支持被欺負同學會成為下一個目標。**
- **擔心被視為不合群，不敢表達對霸凌的反感。**

「大部分同學對於這種事情，都會選擇站旁邊，抱著看戲的心態，只要自己不被霸凌就好。」阿仁繼續說，媽媽隨手記下：

- **班級的冷漠氛圍，讓人擔心站出來可能引起他人的反感和報復。**
- **學生可能不相信老師或學校能夠有效處理霸凌事件，因此選擇保持冷眼旁觀。**

「所以你們就選擇觀望，而不想辦法制止？」媽媽問。

「你們知道視而不見，只會讓欺負

人的同學越囂張嗎？」媽媽再問。

「大家每天都在一起讀書、玩樂，若是我選擇制止，等於我和霸凌者撕破臉，破壞關係，以後不知道如何面對錢仔（霸凌者），所以我寧願假裝沒看見。」阿仁回答。

媽媽隨手寫下「**告狀怕撕破臉**」。

「霸凌行為有因為你們的低調處理而有所改善嗎？」

「嗯……我們只求自保……」阿仁很小聲的說。

「發現不對勁，但因為你們求自保選擇當旁觀者，讓霸凌行為持續進行，造成被霸凌者身心非常難受，這是**間接霸凌**，也是霸凌的一種。」

媽媽寫下「**旁觀者求自保讓霸凌行為持續進行**」。

「今天你們的沉默，都是**對霸凌的默許和縱容**，明天霸凌找上你，這是一種蝴蝶效應。」媽媽說。

「有一天如果你遇到了霸凌，你一定也希望有人可以適時伸出援手。」媽媽堅定的看著阿仁，並在紙上箭頭的尾端寫下「霸凌幫凶」的**關鍵原因**：

「**畏懼與求安全。**」

人的因素

- 擔心被視為不合群，不敢表達對霸凌的反感
- 旁觀者求自保讓霸凌行為持續進行
- 霸凌是被害同學的私事，不願主動介入
- 擔心支持被欺負同學會成為下一個目標
- 告狀怕撕破臉

畏懼與求安全 → **成為霸凌幫凶**

環境因素

- 班級的冷漠氛圍，讓人擔心站出來可能引起他人的反感和報復
- 學生可能不相信老師或學校能夠有效處理霸凌事件，因此選擇冷眼旁觀

制止霸凌的方法

「媽媽知道你也想試著做些什麼不讓霸凌再發生，但問題在於你擔心如果站出來幫助四號同學，可能會引來報復，讓自己成為下一個被欺負的對象。

「我知道挺身而出非常困難，需要很大的勇氣。我們可以試著用 **5W1H** 來想想減少畏懼敢向前制止霸凌的方法。」媽媽微笑並堅定的說。

媽媽起身把阿仁攬在懷中。「我是你可以信任

同理他人

什麼人（Who？）
這件事情跟誰有關係？
這件事情會影響到誰？
在這件事情上誰做決定？

參與者：我（旁觀者）、四號（被霸凌者）、錢仔（霸凌者）。
影響到的人：我及其他旁觀者、四號及其他被霸凌者、錢仔。
決定者：身邊有權力且能負責任的成年人（如老師、主任）。

什麼事（What？）
這件事情的問題是什麼？
我的害怕感來自哪裡？
我想要從這件事情中得到些什麼？

- 四號正在被錢仔霸凌，我因為畏懼而不敢制止。
- 害怕被捲入衝突，擔心自己也會成為錢仔的目標。
- 擔心因沉默讓霸凌事件不斷發生，自己成為下一個被霸凌者。
- 希望能對霸凌做些什麼，但又希望保護自己，避免不必要的風險。
- 獲得減少畏懼敢向前制止霸凌的方法。

什麼時候（When？）
這件事情是從什麼時候開始的？

我得知霸凌事件後，開始思考自己是否應該發聲。

什麼地點（Where？）
發生在什麼地方？

學校內。

為什麼（Why？）
這個問題為什麼重要？

- 今天的沉默是對霸凌的默許和縱容，明天霸凌就會找上我。
- 有一天如果遭到霸凌，一定也希望有人可以適時伸出援手。

如何（How？）
過程中感受如何？
如何把難題變成機會？
如何嘗試解決這個難題？

- 我可能有內疚或不安的情緒。
- 透過不斷宣導，只要拒絕圍觀，立即尋求協助，就能制止霸凌事件繼續蔓延。
- 可以尋求支持，如找到可信任的成年人、學校輔導員或其他社區資源，以協助制止霸凌。
- 營造安全通報環境。
- 可以組成志同道合的小組，互相情緒支持並形成一股力量。

的成年人，當你害怕、內疚時可以跟我說，我們一起面對問題。」

阿仁放鬆身體靠在媽媽懷中。「我們現在能怎麼做？」

「我把狀況私底下跟你們老師說，請老師成立輔導小組，利用學校的資源介入處理。」媽媽說。

「你呢，就在班群裡用剛剛的5W1H，協助同學們，一起想想看如何可以減少畏懼敢向前制止霸凌。

「只要有人願意出來討論這件事，這件事就不會成為悶燒的畏懼情緒。」媽媽說。

阿仁在媽媽懷中用力的點了點頭。

🖉 想一想你會怎麼做？

❶ 誰是你遇到困難時會傾訴的對象？朋友、爸媽，還是老師？或是網路？

❷ 可以運用5W1H，看看上面的傾訴管道有沒有協助解決自己的困難？

什麼人（Who？）
這件事情跟誰有關係？
這件事情會影響到誰？
在這件事情上誰做決定？

什麼事（What？）
這件事情的問題是什麼？
我的害怕感來自哪裡？
我想要從這件事情中得到些什麼？

什麼時候（When？）
這件事情是從什麼時候開始的？

什麼地點（Where？）
發生在什麼地方？

為什麼（Why？）
這個問題為什麼重要？

如何（How？）
過程中感受如何？
如何把難題變成機會？
如何嘗試解決這個難題？

同理他人

第2單元
比拳頭更好的解決問題方式

● 幫同學出氣的龍哥

「龍哥早！」

「龍哥早！」

龍哥在一群瘦瘦的五年級男生中顯得特別高壯，他被簇擁著，威風凜凜的走過五年級走廊。

三班的小琬坐在教室內看著走廊上經過的龍哥，跟小魚低聲說：「也不知道五班有龍哥這號人物到底是福還是禍。」

小魚歪著頭說：「我覺得禮拜五的運動會，如果我們班拔河有龍哥，一定能躺著贏。」

「哈哈，這麼說也沒錯啦，他那體格在體育競賽

上還滿吃香的，又高又壯。」小琬忽然也有些羨慕。

「但我覺得他實在太粗魯了，沒事就比力氣、比嗓門的，自以為自己很威風的樣子。」小琬繼續說。

「我覺得他還挺有正義感的啊。」小魚說。

「你醒醒吧，那樣的正義感我才不要。」小琬故意誇張的用雙臂環抱自己。

龍哥就在眾人羨慕、吹捧的眼神中穿越五年級的走廊。

✽

一年一度的運動會在風和日麗的十一月中展開，這天太陽公公很賞臉，給了個藍天白雲、溫度舒適的好天氣。

各年級健康操、趣味競賽、一二年級團體跑、中高年級大隊接力、高年級拔河，滿滿的行程排滿了整個早上。

接近十一點左右，白老師檔案室的電話忽然響起。

「白老師，我是保健室的吳護理師，請妳過來保健室一趟，快點，學生快打起來了！」電話那頭傳

來吳護理師急切的聲音。

白老師二話不說，馬上起身，關了檔案室的門，快步走向一樓保健室。

火速抵達保健室的白老師，眼前所見是瘦小的吳護理師擋在一高一瘦兩位同學的中間，保護著瘦瘦的男同學，而高壯的男同學後面還被體育老師按住肩膀。

護理床旁，坐著另一位臉部、手肘、膝蓋都有點擦傷的男同學，身上有著包紮到一半的膠布繃帶。

高壯的男同學大聲咆哮：「就是你搞小動作，還裝無辜。」

「這是怎麼一回事？」白老師大聲打斷。

「白老師，妳先幫我帶走安撫這位同學。」吳護理師哭喪著臉說。

「我覺得不能把他帶走，必須當場解決同學們的問題。」白老師立刻下了決定。

聽到這，高壯的男生停止往前，說：「還是白老師英明。」說完還很不開心的抖一抖肩膀，暗示體育老師鬆手。

白老師說：「吳護理師，妳先處理受傷的同學好了，另外你們兩個，這邊坐下吧。」邊說邊順手挪動兩把折疊椅，一張靠窗，一張靠近門，自己跟體育老師則靠牆坐下。

「我想先聽聽受傷同學說。你為什麼受傷？」白老師看著坐在護理床上的男同學。

「剛剛是五年級大隊接力，我是倒數第二棒，跑的過程中跌倒受傷了。」這位同學皺著臉，忍著上藥的痛說。

「你受傷，怎麼這兩位同學都來了？」白老師繼續問：「怎麼看都不覺得他們是護送你來的同學。」

「老師，是我護送他來的，順便逮了這個同學，就是他讓我們班同學跌倒。」高壯的男生大聲說。

「是嗎？」老師看著受傷的同學問。

「龍哥，你先別說啦。我其實不是很確定，因為當時只想著往前跑。」受傷男孩先是制止龍哥發言，然後回答老師。

「老師，你問一個在認真跑的人有什麼用，我

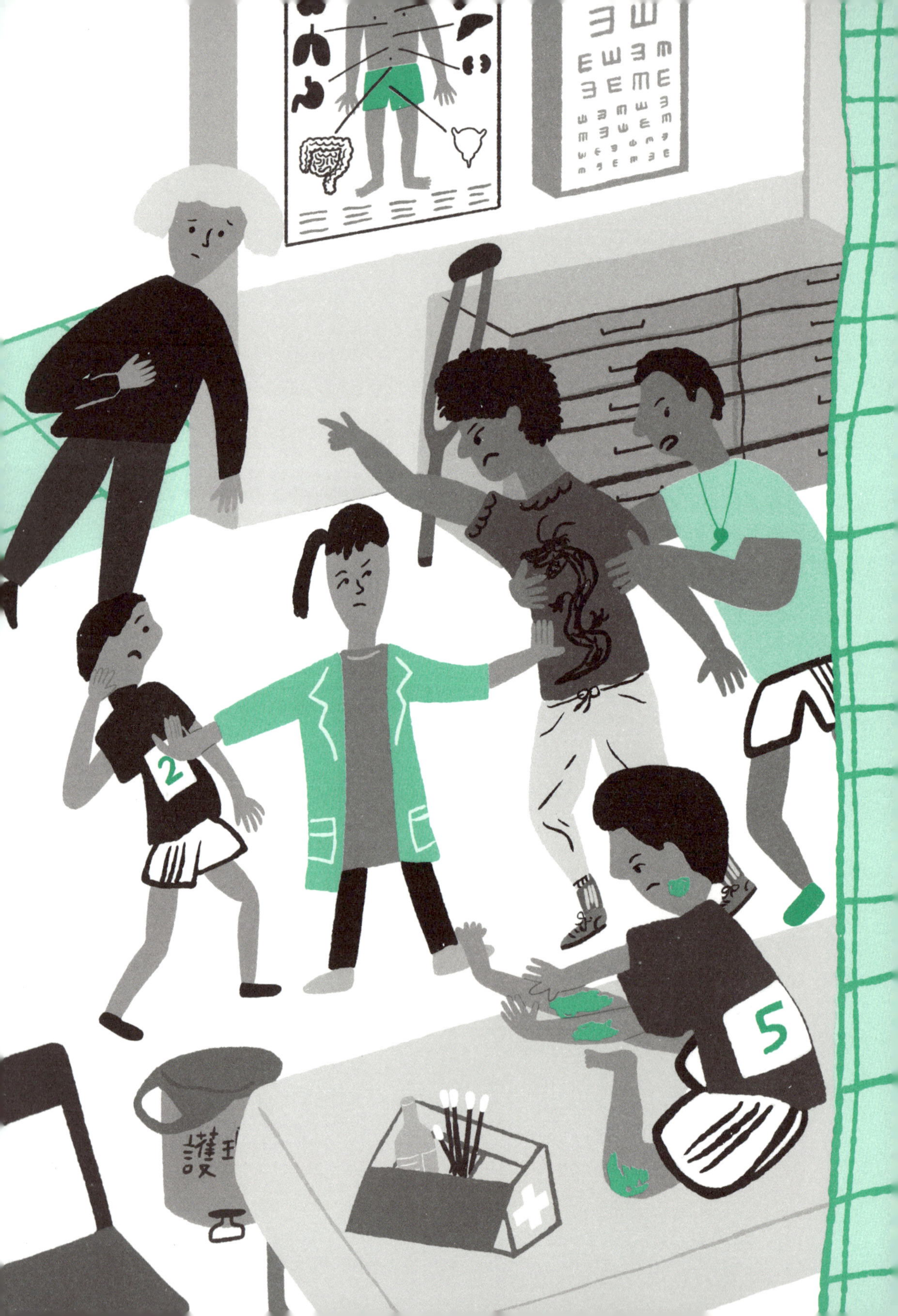
2
5

在場邊看得一清二楚。」龍哥非常不滿的大聲說。

「你看見什麼？」白老師轉身看著坐在門旁的龍哥。

「我看到已經被我們班超過去的同學，故意往內側擠。」龍哥瞪大眼，憤恨的看著瘦瘦男同學。

「我不是故意的，我也搞不清楚，那時身體就歪了一下。」瘦瘦男同學急忙的說。

「你騙鬼啊，什麼叫做不知道身體歪一下。」龍哥大吼站起，作勢往前。體育老師馬上也站起來。

「等等，龍哥你先冷靜，我們先來釐清一下，不是什麼事情都比大聲的。」白老師馬上說。

「老師，跟這種故意的人講什麼道理，說道理他們只會反覆用『我不知道』唬弄你，就像他剛剛一樣。」龍哥非常不滿的說。

「龍哥，我先問你，為什麼你對這件事情這麼生氣？」白老師身體前傾問。

「老師，班上同學被欺負，我當然生氣。」龍哥說。

「你覺得你在做正義的事情是嗎？」白老師問。

同理他人

「我不知道正不正義啦,我只知道這是『義氣』,是兄弟情、同學情,我幫他出氣難道不對嗎?」龍哥說。

「你幫助同學沒有不對,但也沒有那麼正確。」白老師說。

「哪裡不對了!」龍哥大聲的說。

「我們先來分辨一下正義跟義氣的差別好了。」白老師說。

正義與義氣的差別

「龍哥,你覺得什麼是正義?什麼是義氣?」白老師問。

「正義不就是義氣?嗯⋯⋯我想想,正義是做對的事情,跟公平有關,即便是好朋友做錯,還是會糾正,不會偏袒。」龍哥抓抓頭說。

「義氣則是朋友之間才有,像是朋友有困難互相幫忙,而且不會在乎自己。」龍哥說。

「也就是說,正義攸關如何做出公平、合理的

判斷，屬於理性的處理。」白老師說。

「義氣則是關乎朋友情誼，屬於情緒性的處理。」白老師繼續說。

「你認為大隊接力賽中同班同學跌倒是被欺負，你幫他出氣，這行為較偏向正義還是義氣呢？」白老師說。

「當然這是出於對朋友的『義氣』，因為這是同班同學的兄弟情，我看到他受到不公平對待，就想要挺身而出保護他，維護我們班的尊嚴。」龍哥說。

「如果現在請你考慮正義的一面，你會怎麼做？」白老師說。

「我不知道，我只是看到同學被欺負，就立即火大起來。」龍哥說。

「如果考慮到正義，需要更理性的思考和處理，譬如向老師反應或進行溝通，以確保正義得以伸張，而不是馬上用力氣。」白老師看著龍哥說。

「如果這件事情發生在其他班同學身上，你的反應又會如何呢？」白老師問。

「要看我和他之間的同學情有多深。如果不太

熟，根本不會馬上用力氣解決，會看比賽規則怎麼定就怎麼做，像是透過體育老師的協助來解決問題。」龍哥說。

「嗯。」白老師點點頭。

「**正義強調的是制度化的規則和秩序，而義氣強調的是個人關係、友誼和互助**。龍哥，你的行動雖然是出於對朋友的義氣，但也突顯了正義和義氣之間的差異，來，我們試著想想在這次情境中，這兩者有什麼不同。」

白老師向護理師要了一些白紙和一枝麥克筆，在紙上寫下A、E、I、O、U。

「喔，老師，這我知道，你要用**AEIOU觀察事件**。」龍哥露出驕傲的笑容。

白老師微笑點點頭，帶著兩位同學一起逐項討論，分辨在運動會活動中這兩者的不同。

「你認為在這樣的情況下，保護朋友是活動中

U （使用者）	正義 運動會中的使用者是所有參加的學生，他們都應該遵守比賽規則，以確保活動的公平、公正。 義氣 龍哥的使用者是他的同班同學，他站在同學這邊，希望保護他免受欺負。

A （活動）	正義 學校運動會的大隊接力賽是有清楚比賽規則的活動。每個參加者都應該遵守這些規則，確保比賽能公正進行。 義氣 龍哥在事件中展現的是一種私人行為，他站出來幫助被欺負的同學，是出於朋友情誼。
E （環境）	正義 運動會是在學校的環境中舉行，所有的參加者都應該在環境中遵守規則和秩序，以確保活動順利進行。 義氣 龍哥的行為發生在學校的友情環境中，他站在朋友這邊，希望保護同學免受欺負，這種環境下更注重個人關係和情感。
I （互動）	正義 在正義的觀點下，互動更強調明訂、具有公平性的規則，以確保比賽中各隊之間的競爭資源相等。 義氣 龍哥的互動更注重人際關係，強調兄弟情誼和同學之間的連結。
O （物品）	正義 運動會中，物品可能包括比賽用具、計時器等與比賽有關的東西。 義氣 龍哥的行動中沒有特定的物品，而是出於情感和友情。

最重要的價值嗎？」白老師看著龍哥。

「嗯……」龍哥低頭思索好一陣子。

「保護朋友的確是滿重要的，但在正式比賽中若是大家都以義氣為標準，則會一團亂，所以我現在覺得，為了要維護比賽的公正性，有時必須放下個人感情，尊重比賽的規則和公正的裁判，這樣每個參加

者才享有平等的機會。」龍哥說。

💬 用溝通、思考解決問題

「解決衝突和爭端時，拳頭似乎是最快速的解決方法，但是獲得的是什麼？是造成對方的恐懼？還是處理問題了？」白老師追問龍哥。

「嗯……」龍哥脹紅臉，頭微微低下。

「是不是可以尋找更具建設性的方式，例如反應給老師，來協助解決可能出現的不公平情況。」

白老師低頭在另一張白紙上畫著**5W1H分析框**，領著龍哥思考什麼是比拳頭更能好好解決問題的方法，一旁瘦瘦的同學也低頭認真的聽著。

> **什麼人（Who？）**
> 在這個情境中，哪些人受到了影響？
> 誰能夠幫助達到解決問題的目標？
>
> - 我（龍哥）和我的同班同學，還有那位比賽中的同學。
> - 我自己，或許還有老師。

什麼事（What？）
到底發生了什麼事情？
我為什麼感到生氣？
我想要達到怎麼樣的結果？

- 同學在運動會的比賽中做出了對我們班同學不公平的舉動。
- 我生氣是因為我覺得他耍小動作，故意要讓我們輸掉比賽。
- 保護同學，替同學打抱不平。

什麼時候（When？）
這個問題是何時發生的？

發生在運動會的比賽中。

什麼地點（Where？）
這個問題發生在哪裡？
地點是否對解決問題有影響？

- 發生在學校的運動場上。
- 會產生影響，因為這是公眾場合。

為什麼（Why？）
為什麼覺得使用拳頭是解決問題的唯一方法？
為什麼這位同學的行為讓我這麼生氣？

- 當時我太生氣了，認為唯有使用拳頭，才能立刻且強烈表達我的憤怒和保護同學。
- 我覺得他的行為是故意的，不公平對待我的同學，讓我很憤怒。

同理他人

> **如何（How？）**
> 除了使用拳頭之外，還有哪些方式可以解決這個問題？
> 如何表達你的不滿和關心，可以更有效的達到你的目標？

- 或許可以更好的表達自己的憤怒，找到溝通的方式解決這個問題，而不是用拳頭解決。
- 或許我可以在冷靜下來後，找他談談，了解他的意圖，並共同找出解決辦法。

　　「龍哥，我們知道你關心同學，但是除義氣外，正義也同樣重要，透過**理性的方式**更能有助於問題的解決。」白老師看著5W1H的分析框說。

　　「有時候透過談話、分享意見和感受，能夠找到更好的解決辦法，問題也更容易被理解和接受，你想達到的目標也更容易實現。

　　「所以，如果當初你選擇先冷靜幾分鐘後，再與那位同學溝通，而不是使用力氣，結果會有什麼不同呢？」白老師看著龍哥問。

　　「我應該會先陪同班同學來醫護室，然後詢問同學當下跌倒時，是否有感受到外力。然後再把得到的訊息跟老師說明，並提出對這位同學的質疑。」龍哥有點不好意思的說。

「為什麼你會採取這個調整後的作法？」白老師問。

「因為如果他不是故意的，我卻一直說他故意，反而顯得我很『不正義』。」龍哥說。

「所以你知道──義氣但不正義，反而讓所有人都受到傷害，包括你自己。讓原本以為在做『好』的事，絞成一團，都變得『不好』了。」白老師欣慰的說。

想一想你會怎麼做？

❶ 你有過或是聽過替朋友打抱不平的經驗嗎？請用5W1H分析這件事的處理是「正義」還是「義氣」。

什麼人（Who？）
在這個情境中，哪些人受到了影響？
誰能夠幫助達到解決問題的目標？

什麼事（What？）
到底發生了什麼事情？
我為什麼感到生氣？
我想要達到怎麼樣的結果？

什麼時候（When？）
這個問題是何時發生的？

什麼地點（Where？）
這個問題發生在哪裡？
地點是否對解決問題有影響？

為什麼（Why？）
為什麼覺得使用拳頭是解決問題的唯一方法？
為什麼這位同學的行為讓我這麼生氣？

如何（How？）
除了使用拳頭之外，還有哪些方式可以解決這個問題？
如何表達你的不滿和關心，可以更有效的達到你的目標？

同理他人

哲學檔案：真正的邪惡是放棄思考

關於人性，中國哲學中最有名的就是先秦時期孟子提出的「人性善」，認為人如果表現得不好，並不是本性的問題，而是你沒有想起自己擁有善的能力。也有先秦時期的荀子認為人善的表現是「人為」的，人應該一生下來就有喜歡錢財的心態，順應這種心態，就會表現出爭搶掠奪；人本有妒忌憎恨的心理，順應這種心態，就會殘忍陷害；又人一生下來就喜歡吃好吃的、看美麗的，順應這種心態，混亂就會產生，所以荀子說透過教化、教育才能矯正我們的本性。

西方近代則有哲學兼政治學家漢娜・鄂蘭，她由第二次世界大戰期間，納粹對猶太的屠殺反思提出「邪惡的平庸性」概念，意思是你看到那些行邪惡之事的人，有時候並不是看起來很嚇人的人，真正行邪惡之事的人往往看起來平庸，平凡、平庸的人為什麼會做邪惡的事？那是因為他不去思考自己的行為，最終盲目聽從而傷人。

漢娜・鄂蘭不討論性善性惡，她的重點是「行」，並認為「膚淺的人，越容易屈服於邪惡。不去思考才是

最可怕的事情」。所以真正的邪惡是放棄思考，別人說什麼你就做什麼，別人覺得好，你沒有自己判斷就點頭肯定，做出傷人行為時還一副無辜的樣子。或許是真的無辜，因為從來沒帶著思考行動，連自己做了什麼都不清楚，這才是真正的邪惡。

同理他人

知識館

中小學生必備！問題解決力的思辨工具書（下）
看到有人被霸凌怎麼辦？運用魚骨圖、AEIOU 等工具學習尊重他人

作　　　者	丁士珍、蘇子媖
繪　　　者	顏寧儀
封面・內頁設計	黃鳳君
主　　　編	汪郁潔
責 任 編 輯	蔡依帆

國 際 版 權	吳玲緯　楊靜
行　　　銷	闕志勳　吳宇軒　余一霞
業　　　務	李再星　李振東　陳美燕
總 經 理	巫維珍
編 輯 總 監	劉麗真
事業群總經理	謝至平
發 行 人	何飛鵬
出　　　版	小麥田出版 115 臺北市南港區昆陽街 16 號 4 樓 電話：(02)2500-0888 傳真：(02)2500-1951
發　　　行	英屬蓋曼群島商家庭傳媒股份有限公司 城邦分公司 115 臺北市南港區昆陽街 16 號 8 樓 網址：http://www.cite.com.tw 客服專線：(02)2500-7718｜2500-7719 24 小時傳真專線：(02)2500-1990｜2500-1991 服務時間：週一至週五 09:30-12:00｜13:30-17:00 劃撥帳號：19863813　戶名：書虫股份有限公司 讀者服務信箱：service@readingclub.com.tw
香港發行所	城邦（香港）出版集團有限公司 香港九龍土瓜灣土瓜灣道 86 號順聯工業大廈 6 樓 A 室 電話：852-2508 6231 傳真：852-2578 9337
馬新發行所	城邦（馬新）出版集團 Cite(M) Sdn. Bhd 41, Jalan Radin Anum, Bandar Baru Sri Petaling, 57000 Kuala Lumpur, Malaysia. 電話：+6(03) 9056 3833 傳真：+6(03) 9057 6622 讀者服務信箱：services@cite.my
麥田部落格	http://ryefield.pixnet.net
印　　　刷	漾格科技股份有限公司
初　　　版	2025 年 4 月
售　　　價	340 元

版權所有 翻印必究
ISBN 978-626-7525-42-5
EISBN：9786267525401（EPUB）
本書若有缺頁、破損、裝訂錯誤，請寄回更換。

國家圖書館出版品預行編目資料

中小學生必備！問題解決力的思辨工具書.下,看到有人被霸凌怎麼辦？運用魚骨圖、AEIOU 等工具學習尊重他人 / 丁士珍, 蘇子媖著. -- 初版. -- 臺北市：小麥田出版：英屬蓋曼群島商家庭傳媒股份有限公司城邦分公司發行, 2025.04
面；　公分. --（小麥田知識館）
ISBN 978-626-7525-42-5（平裝）

1.CST: 生活教育
2.CST: 修身
3.CST: 中小學教育

528.33　　　　　　114001008

城邦讀書花園
書店網址：www.cite.com.tw